LES GRANDES AMITIÉS

Ce livre est présenté à

Tulane

par

Les Causeries du Lundi
Cercle culturel français
affilié à l'Alliance Française

IL A ÉTÉ TIRÉ DE CET OUVRAGE :

50 EXEMPLAIRES SUR PAPIER TEXTE

NUMÉROTÉS DE 1 A 50,

150 EXEMPLAIRES SUR PAPIER CORSICAN

NUMÉROTÉS 51 A 200.

RAÏSSA MARITAIN

LES GRANDES AMITIÉS

SOUVENIRS

à Jacques

NEW YORK 1940

6 Juillet 1940. Il n'y a plus pour moi d'avenir en ce monde. La vie est achevée pour moi, terminée par la catastrophe qui plonge la France dans le deuil, et le monde avec elle, du moins tout ce qui en France et dans le monde est attaché aux valeurs humaines et divines de l'intelligence libre, de la liberté sage, de l'universelle charité. De longtemps, — peut-être jamais plus, — nos yeux ne retrouveront notre France bien-aimée. Nous ne reverrons peut-être jamais en ce monde ceux qui nous sont plus chers que tout au monde. Nous avons presque perdu l'espérance qui nous soutenait dans nos travaux, dans les souffrances de notre vie : l'espérance que la charité du Christ pouvait pénétrer et transformer ce monde. Son Royaume *n'est pas de ce monde,* dans quelle lumière cruelle resplendit cette vérité-là ! Et cependant son commandement n'en est pas abrogé d'aimer notre prochain comme nous-mêmes. Nous n'avons pas le droit

d'oublier que nous nous devons toujours à nos frères. Et nous savons aussi qu'à travers toutes les catastrophes, l'écroulement des empires, les persécutions et le martyre, — le bien passe, le bien se fait, le bien demeure. Mais ma vie à moi, ma vie très imparfaite arrive à cet âge adulte de l'âme qui n'est acquis qu'au prix de malheurs extraordinaires, personnels ou non : cet âge où rien ne reste plus de l'enfance, ni du bonheur de vivre. Ma vie arrive à ce terme beaucoup moins par les épreuves qui m'ont atteinte moi seule, que par le malheur qui s'est abattu sur l'humanité tout entière, parce que la justice est en deuil, que les affligés ne sont pas, ne peuvent pas être consolés, que les persécutés ne sont pas secourus, que la vérité de Dieu n'est pas dite, et parce que tout à coup le monde est devenu si petit, si étroit pour l'esprit, par l'uniformité du mensonge qui y règne et presque seul fait entendre sa voix.

Au présent qui me reste je ne me sens pas présente. Je tourne ma pensée vers le passé et vers l'avenir. Vers l'avenir caché en Dieu. Vers le passé que Dieu nous a fait : qu'il a comblé de tant de peines et de grâces — vers notre vie passée, vers nos amis.

18 Juillet 1941. — Je relis maintenant les pages que j'ai écrites et qui concernent les an-

nées de nos premières découvertes dans la vie. C'est une étrange expérience que de se confier à la mémoire ; celle-ci nous tient plus que nous ne la tenons, elle nous emporte dans son monde qui est la réalité même du mouvement de notre passé, et il nous faut bon gré mal gré lui obéir, refaire ces chemins du temps qui ne sont pas seulement fixés désormais d'une manière iné-luctable, mais où toutes choses sont liées de telle sorte que n'importe quel moment requiert le passé entier qui l'a précédé. Comment aurais-je pu parler de ceux qui me sont chers, de ces amitiés auxquelles avant tout de tels souvenirs sont dédiés, et d'une époque où tout mainte-nant, même l'angoisse et la souffrance, m'appa-raît en face du moment présent comme un para-dis perdu, sans revivre en même temps ma propre vie où tout ccla cst pour moi inévitable-ment enveloppé. Nos amis font partie de notre vie, et notre vie explique nos amitiés. Il m'a donc fallu parler de nous, et même de moi, et même de mon enfance. On voudra bien com-prendre que procéder autrement aurait rendu tout mon dessein impossible.

CHAPITRE I

MARIOUPOL

Enfance

Mon premier souvenir date de ma toute petite enfance. J'ai un peu plus de deux ans et
demi, ma petite sœur Véra va naître. Je ne le
sais pas, naturellement. Mais je me vois debout
contre les genoux de mon père qui est assis et
qui pleure devant la porte fermée de la chambre
de maman. Je me serre contre lui, je fais des
efforts pour le consoler ; mais on m'emmène
chez mon amie Clara, la grande amie de mes
premières années, et un peu après on vient
m'annoncer que j'ai une petite sœur. Ainsi la
première image qui est restée dans ma mémoire
est celle de mon père qui pleurait ; la seconde
est celle de mon désir de chasser sa peine. C'est
peut-être à cause de cela que j'ai toujours eu

pour mon père des sentiments de protection, et de compassion presque maternelle.

Cela se passait en Russie, à Marioupol, petite ville au bord de la mer d'Azoff. Je sais par ma mère que nous venions de Rostoff-sur-le-Don où je suis née, et où habitaient ses parents. Je leur étais extrêmement attachée, surtout à mon grand-père. Je n'admettais que lui pour me bercer, méfiante je tâtais la main au bord du berceau, et si ce n'était pas sa main je pleurais et je disais : « Ni papa, ni maman, ni niania, ni grand'mère, — diédouchka seulement doit me bercer ! » Lorsque quittant Rostoff nous prîmes le bateau pour Marioupol, où nous devions désormais habiter, j'avais à peine deux ans, cependant je montrai un chagrin affreux, je pleurais, et je demandais que le bateau « se retourne », « afin que nous soyons de nouveau avec grand-père et grand'mère. »

Je tiens tout ceci de ma mère. Mes souvenirs personnels sont plus tardifs ; ils datent des visites que nous faisions de temps en temps à mes grands parents, allant par mer, puis par le Don, de Marioupol à Rostoff. Dans ces trajets maritimes se trouvent les premières images que j'ai gardées de ce monde : les quais d'embarquement, les bateaux, la mer ; et, sur le Don, ce pont qui faisait mon émerveillement parce qu'il s'ouvrait pour laisser notre bateau entrer dans Rostoff.

J'ai gardé de mon grand-père maternel le souvenir d'une bonté extrême, et d'une douceur qui même à mes yeux d'enfant a toujours paru extraordinaire. Plus tard, beaucoup plus tard, j'ai su par les récits de ma mère, j'ai compris, de quelle source venaient cette bonté et cette douceur ; elles venaient de sa haute piété, de sa piété de « hassid », de cette mystique juive qui a divers aspects, tantôt plus intellectuels, tantôt plus affectifs, mais qui chez mon grand-père devait beaucoup ressembler à celle de ce « Juif aux Psaumes » dont Schalom Ash parle si admirablement dans *Salvation*. La religion de mon grand-père était toute d'amour et de confiance, de joie et de charité. Chez ses parents ma mère a appris le respect de la science divine, et de l'étude qui lui est consacrée. Cependant elle-même était peu instruite — il n'était pas d'usage alors de faire étudier les femmes.

Avant de venir à Rostoff son père habitait un gros village de la région, avec sa nombreuse famille. Pendant qu'il étudiait à la Synagogue, comme c'était l'usage, alors, des Juifs pieux, sa femme s'occupait aux soins d'un temporel à la vérité très humble.

C'était déjà, à l'époque de la petite enfance

de ma mère, un vieux ménage, parce qu'on les avait mariés alors que mon grand-père n'avait que douze ans et ma grand'mère huit. Les Juifs avaient trouvé ce moyen d'éviter que l'Etat russe ne leur prît leurs jeunes garçons pour en faire plus tard des soldats, comme cela se pratiquait à cette lointaine et naïve époque dont il m'est difficile de préciser la date. Les jeunes mariés échappaient à cette servitude. Bien que ne changeant naturellement rien à leur vie d'enfants le mariage était religieusement célébré, on rasait la tête des petites épouses, et on leur mettait une perruque selon les plus stricts rites juifs. Mais ma grand'mère n'hésitait pas à retirer sa perruque pour y édifier des pâtés de sable.

De la vie de ses parents ma mère nous a souvent raconté bien des traits pittoresques et touchants ; mais je n'en ai retenu qu'un petit nombre. Leur hospitalité était proverbiale, et souvent des voyageurs attardés venaient frapper à leur porte au milieu de la nuit. Mon grand-père se levait alors en grande hâte, réveillait sa femme avec des transports de joie comme si Dieu lui-même était venu les visiter, et l'hôte inconnu était reçu aussi bien que le leur permettait leur médiocre fortune. Jamais ni lui ni sa femme n'auraient laissé accomplir par une domestique ces devoirs sacrés de l'hospitalité. Lorsqu'enfin réconforté et reposé l'hôte désirait partir, mon grand-père tenait à le mettre lui-même sur la bonne voie, quelque heure qu'il fût.

Une châtelaine des environs qui trouvait exagérée une telle charité chez un homme qui n'était pas riche, voulut le protéger contre lui-même et détourner de lui les visiteurs indiscrets. Aussi à ceux qui s'arrêtaient chez elle prenait-elle soin de dire que dans le village voisin il ne fallait surtout pas frapper à la porte de Salomon B., parce que c'était un homme méchant et avare qui les recevrait très mal. Quelques uns pourtant passaient outre à ses avis, et devant l'accueil qui leur était fait ils dévoilaient les stratagèmes inutiles de la dame trop bien intentionnée.

Les paysans à qui il rendait tous les services en son pouvoir aimaient beaucoup mon grand-père, et l'appelaient Salomon le Sage. Ils lui donnèrent plusieurs fois la preuve de leur attachement en le prévenant quand des pogroms se préparaient. — « Notre petit père le tsar le demande, que veux-tu, nous devons obéir ; mais toi, reste dans ta maison avec les tiens. » Les émeutiers qui passaient, la croix en tête, ne lui firent jamais le moindre mal, mais ils ne gardaient pas la même bénignité à l'égard des autres Juifs. J'espère que sa sagesse lui a permis de ne pas accuser la religion chrétienne de ces méfaits barbares. Ma mère en tout cas en était restée impressionnée jusque dans sa vieillesse, et cette image de la croix promenée pendant les pogroms a longtemps retardé sa conversion.

Mon autre grand-père, mon grand-père paternel, était venu habiter chez nous lorsque j'avais cinq ou six ans. Il était alors presque centenaire, et il est mort chez un autre de ses fils après notre départ pour la France, âgé de cent six ans. Juste le double de l'âge que devait vivre mon père. Il avait eu onze ou douze fils dont mon père était le plus jeune. Je ne sais quelle avait été sa vie, mon père ne m'en a jamais parlé. Toujours est-il que dans sa grande et verte vieillesse il a vécu comme un ascète. Il n'avait rien de la douceur du père de maman. Le souvenir que j'ai gardé de lui est celui d'un homme très grand, très sec, et très sévère. Il nous étonnait tous par ses mortifications : il ne mangeait que du pain sec frotté d'oignon, ne buvait que de l'eau. Il dormait dans la cour à même le sol jusqu'à l'hiver ; et alors, dans la maison, il ne consentait à habiter que l'antichambre, où il dormait sur un coffre. Je ne me souviens pas qu'il m'ait jamais parlé sauf pour me lire dans la Bible de merveilleuses histoires comme celle de Joseph

vendu par ses frères, et pour m'apprendre à
lire l'hébreu. Il taillait alors une allumette pour
désigner les caractères et mieux fixer sur eux
mes regards distraits. Je crois que pendant ces
leçons la crainte habitait mon cœur et paralysait
mon esprit. Et puis tout cela était trop obscur
pour moi. Je réussissais mieux dans l'étude de
la langue russe depuis que j'allais au lycée. Mais
alors j'avais déjà sept ans.

Je reviens à des souvenirs plus anciens. J'ai
cinq ans peut-être. Mes parents ont loué une
salle de leur maison à une dame qui fait la classe
à de jeunes enfants. J'y assiste parfois, en simple
spectatrice, mais remplie d'étonnement et du
désir des choses mystérieuses qu'on apprend là.
J'entends répéter la table de multiplication, et
bien que je ne me rende pas compte le moins du
monde du contenu réel de ce que l'on dit, je
pressens avec une émotion bouleversante qu'il
y a là un enseignement et une science, une vérité à connaître, et mon cœur éclate du désir de
savoir. Cette intuition dépasse de bien loin ce
que je peux comprendre et que je n'arrive à
exprimer que par ce cri naïf : « Oh, maman !
quand est-ce que je saurai moi aussi que deux
fois deux font quatre ! » Je crois qu'une telle
intuition est la force propulsive même qui permet aux enfants d'apprendre et d'accueillir ce

qui les dépasse. Il y a là une manifestation, bien avant « l'âge de raison », de la structure essentielle de l'intellect, un caractère spécifique de l'âme humaine.

Ma petite sœur a grandi. Depuis qu'elle sait parler nous parlons beaucoup ensemble. C'est notre jeu. Un jeu qui occupe toute notre enfance. Nous imaginons qu'elle est ma petite mère, et que je suis son petit garçon qui habitons un monde tout autre que celui qu'habitent les hommes. C'est un monde où on ne pleure pas, où on n'est pas malade, où toute l'année poussent les fleurs et les fruits, où les enfants jouent avec les oiseaux, et peuvent voler comme eux ; où l'âge est fixé une fois pour toutes. Les mères ne vieillissent pas, et les enfants ont toujours l'âge qu'ils avaient lorsqu'on est allé les chercher à la fontaine, c'est-à-dire qu'ils ont toujours « l'âge de leur naissance ». Ainsi j'avais toujours deux ans. Nous vivions dans ce monde tout le temps où nous pouvions jouer. Ce monde a grandi avec nous d'une certaine manière. — Lorsque nous fûmes assez grandes pour avoir une idée du bien et du mal, l'idée même du mal dut être exclue de notre monde. Nous devions nous surveiller pour ne pas prononcer les mots qui désignaient le mal, la méchanceté ;

ni même les mots qui par contraste pouvaient y faire penser. Ainsi il ne fallait pas dire *bien,* pour ne pas avoir à penser : *mal,* ni *bon* pour ne pas risquer de penser *méchant.* C'était un extraordinaire exercice pour de petites têtes d'enfants, et nous nous trompions souvent, mais nous nous reprenions et tâchions de corriger notre manière de parler et de penser.

Il y avait cependant une sorte d'imperfection permise : les plaisanteries, les taquineries, les tours à jouer ; c'était la revanche de l'imagination à qui toutes les absurdités, tous les non-sens étaient permis. Par exemple Pifo, c'était mon nom dans ce jeu, allait se percher sur une cerise qui poussait ; (nous pensions que le noyau poussait d'abord, et la pulpe ensuite) ; et la cerise se formait tout autour de l'enfant et le cachait ainsi aux yeux de sa mère qui le cherchait. Mais Pifo mangeait la cerise et tombait dans les bras de sa mère, Mimo. Ce jeu nous occupait sans cesse. Nous y jouions encore lorsque ma sœur avait huit ans, et moi presque onze.

L'École

A sept ans je fus admise au lycée. C'était une chance. Le quota d'admission pour les Juifs était

très peu élevé. Dès lors nos parents durent penser à l'avenir de nos études, et l'idée de quitter
la Russie commença à germer dans leur esprit.

Quant à moi mon bonheur était sans mélange.
J'entrais dans le monde de la connaissance. Mon
cœur battait d'un espoir infini. J'allais apprendre à lire et je croyais que tout ce qui est écrit
est vrai. A vrai dire une âme humaine doit passer par beaucoup d'expériences pour perdre cette
naïve conviction. Pour apprendre qu'un seul
livre au monde est tout à fait vrai — mais c'est
la Bible, inspirée du Ciel, et toute pénétrée du
mystère de son origine.

J'ai souvent pensé depuis à ce qu'était alors
la vie pour moi, la vie intérieure d'une enfant
de sept ans. Et je me rends compte que j'éprouvais à l'égard de tout ce qui touche à l'école
des émotions d'un caractère religieux que je
ne puis exprimer aujourd'hui que par des mots
que j'ignorais alors.

Je me rendais au lycée le cœur pénétré d'a-
mour et de crainte. La classe est sacrée. Les
« dames de classe » sont des êtres à part, leur
tête est pleine de science. Elles enseignent des
choses certaines et parfaites.

Je n'étais pas frondeuse le moins du monde ;
désobéir, être dissipée, juger mes professeurs,

cela ne me venait même pas à l'esprit. Tout mon être se donnait à écouter et à comprendre.

Que tout m'était savoureux et terrible à l'école ! Il était terrible de ne pas savoir sa leçon, de ne pas trouver la solution d'un problème. Mais quelle source de joie dans une leçon bien comprise, dans les beaux livres, dans les cahiers rayés et quadrillés, ornés sur la première page d'une image qui est un bouquet de roses en relief, ou de myosotis, ou une tête d'ange entre deux ailes. Mon trésor le plus précieux est un atlas de géographie. Ses grandes pages lisses montrent toute la terre. Elle est belle, multicolore, et baigne dans l'eau bleue. Je crois que tout appartient à la Russie.

Tout m'était une fête de ce qui touchait à l'école, me lever tôt, affronter le froid, la neige et la glace, quand nos voisins ne me conduisaient pas dans leur traîneau. Je m'en allais vêtue de l'uniforme du lycée : une petite robe en serge grise, un tablier — blanc en été, noir en hiver ; et là-dessus, par temps froid, une épaisse pelisse qui amortissait les chutes...

Il y avait en ce temps là, aux environs du lycée, des terrains non bâtis où l'on pouvait voir les premiers brins d'herbe percer la neige et annoncer le printemps. Cette vision, survenant après un long et rigoureux hiver, était une des grandes joies de mon enfance.

Les travaux et les fêtes

Les classes finissaient à deux heures. Je revenais à la maison pour le déjeuner familial qui était à vrai dire le principal repas de la journée. Il me restait encore beaucoup de temps pour apprendre mes leçons, jouer avec ma sœur, voir les amis qui venaient visiter mes parents, en ce temps de grands loisirs et de large hospitalité même parmi les gens de petite aisance. On mettait sur la table le samovar brillant comme de l'or, rempli de charbons rouges et d'eau bouillante et chantante ; on servait toutes sortes de confitures et de pâtisseries faites à la maison. J'aimais aussi assister aux grandes entreprises ménagères de maman qui faisait elle-même le pain que nous mangions, et quantité de plats merveilleux qu'on mettait au four en même temps que le pain. Ma mère était alors une jeune femme de trente ans très active et très gaie. Je me souviens de mon père comme d'un grand jeune homme silencieux et réservé, toujours occupé, et préoccupé peut-être, par la direction, qui ne devait pas être facile, d'un atelier de couture. Il me semble qu'un nuage de mélancolie était sur lui. Peut-être commençait-il à souffrir de la maladie qui devait l'emporter à un âge relativement jeune. Nous étions toutes petites encore, ma sœur et moi, lorsqu'il fut atteint d'une pneumonie grave à la suite d'un refroidissement. A partir de ce jour il fut souvent malade et alité.

Autant que le froid de notre hiver continental, la chaleur de l'été était extrême. Aussi les fleurs et les fruits surgissaient-ils en abondance. Les mois de mai et de juin débordaient de roses et de cerises, les tables en étaient couvertes les jours où l'on faisait les confitures. On s'enivrait de leur parfum. J'étais admise à trier les roses, à mettre de côté les pétales intacts et à rejeter les autres. Et aussi à dénoyauter les cerises. Ces jours là étaient des jours heureux. On chantait en travaillant. Surtout on écoutait maman chanter de sa belle voix grave des chants petits-russiens dont elle connaissait un nombre qui m'a toujours paru inépuisable, et qu'elle avait appris dans son enfance, au temps où ses parents habitaient à la campagne.

L'été surabondait en melons et en pastèques, en prunes et en abricots doux comme le miel. On conservait pour l'hiver de petits pastèques, ensemble avec des pommes, dans de grands tonneaux où l'on mettait de l'eau, beaucoup de sel, et des plantes aromatiques. Un peu plus tard on mettait aussi en conserves des cornichons avec des piments verts ; et puis des choux qui nous fournissaient de choucroute. Aussi en hiver la table ne manquait-elle ni de fruits ni de légumes, et il me semble que je n'ai jamais mangé de choses aussi bonnes qu'en Russie. Ma mère faisait tout cela aidée d'une seule domestique, et elle trouvait encore le temps de nous tailler et coudre des robes qui me paraissaient bien jolies. C'est son activité et sa gaîté sans doute qui nous ont fait une si heureuse enfance. Il y eut probablement aussi des tristesses dont je n'ai pas gardé le souvenir. Je crois que les réalités pénibles, à moins qu'elles ne soient accablantes pour l'enfant lui-même, ont peu de pouvoir sur son imagination. Il est bien naturel que ce qui touche à la vie lui soit plus proche et plus accessible que ce qui touche à la mort. Ainsi je me rappelle que tous les ans, en été, on parlait du choléra, on prenait quelques précautions, par exemple on ne buvait que du thé très chaud et on mangeait de l'ail. Le choléra est en Russie à l'état endémique, et parfois il se répand avec une rapidité effroyable. Mais ces souvenirs sont en moi sans aucune résonance dans la sensibilité, comme des choses dont la réalité ne m'aurait pas vraiment touchée, alors que je garde encore en moi après un si long temps comme la sensation même du parfum exquis des pommes de Crimée, du goût parfait du vin de Pâques, et de toutes mes joies enfantines.

Les travaux s'arrêtaient le vendredi au crépuscule. Ma mère observait les principaux rites juifs, mon père se faisait un peu tirer l'oreille.

Le vendredi soir, dès qu'apparaissait la première étoile, maman posait une mantille de dentelle sur ses cheveux, allumait les bougies, disait les prières sabbatiques, et on ne devait plus allumer d'autre feu jusqu'à la première étoile du samedi soir.

Le jour du sabbat aucun travail servile n'était permis, on recevait ou rendait des visites ; on allait à la Synagogue. Et lorsqu'on promenait la Thora en procession, toute vêtue de velours brodé et rebrodé d'or et d'argent, on me permettait de la toucher du bout des doigts, et je baisais mes doigts ensuite.

Pour la fête des Tabernacles on jonchait tous les planchers de feuillages et de fleurs des champs ; la maison sentait l'herbe comme une prairie au soleil. On dressait aussi une tente dans la cour, pour les repas, et on l'ornait de branchages, d'herbes et de fleurs.

Mais la fête la plus impressionnante était celle

de Pâques. Aux premières vêpres avait lieu le repas liturgique. La table était mise avec beaucoup de recherche, on sortait ce qu'on avait de plus beau. Une nappe éblouissante, des flambeaux d'argent l'éclairaient. Mon grand-père paternel présidait le repas, assis sur le plus haut siège, exhaussé encore par des coussins. La nuit tombait, on goûtait aux herbes amères, les prières commençaient. Toute pénétrée du mystère de cette Pâque j'étais chargée de poser en hébreu les questions auxquelles mon grand-père répondait par le déroulement du récit biblique et l'explication des rites de la nuit pascale. C'était un long discours, en hébreu aussi, mais dont on nous avait expliqué le sens auparavant, en même temps qu'on me faisait apprendre ma partie dans le dramatique dialogue.

Tous les cœurs étaient étreints par la grandeur des promesses et des faveurs divines, par la pathétique histoire de tant de siècles de souffrances qui n'avaient pas éteint l'espoir. Je ressentais obscurément cette immensité de douloureux mystères sans me rendre compte, naturellement, de leur signification et de leur contenu. Alors arrivait le point culminant de cette nuit sacrée : le passage de l'Ange.[1] On remplis-

---

1. C'est probablement du passage d'Elie qu'il s'agissait. Mais j'avais sans doute compris qu'Elie était un Ange.

sait toutes les coupes d'un vin rouge, doux et fort, dont je n'ai jamais retrouvé la saveur comme liturgique en aucun autre vin, même de France. A la coupe la plus grande, remplie de ce beau vin, devait goûter l'Ange de Dieu qui cette nuit-là visitait les maison des Juifs. On éteignait toutes les lumières et dans le silence lourd d'adoration et de crainte on laissait à l'Ange le temps de passer. Puis, les flambeaux rallumés, on terminait rapidement le souper, et chacun allait à son repos conscient d'avoir participé à une grande action.

De la Russie orthodoxe je n'ai gardé dans ma mémoire qu'un petit nombre d'images. Celle entre autres des immenses Pas'ha — de ces pains cylindriques très hauts, très légers et d'un parfum exquis, que sont les pains de Pâques russes ; celle des œufs durs merveilleusement coloriés ; celle des Icones qui emplissaient tous les coins de la chambre de ma petite amie Titicheva, qui était toute blonde, toute rose, et qui habitait à mi-côte de la mer une maison obscure, entourée d'un grand parc qui me faisait un peu peur et où je m'attendais à voir surgir des fées.

Nous nous arrêtions chez Titicheva dans la soirée, les jours où maman nous emmenait à la plage, ma sœur et moi. C'était une grande plage de sable fin, où nos pieds enfonçaient.

Maman nageait et nous soutenait en nageant, tantôt ma sœur, tantôt moi. Puis elle s'en allait toute seule, très loin me semblait-il, et j'avais peur. Mais elle ne tardait pas à revenir les mains pleines d'une boue très noire et brillante dont elle nous enduisait tout le corps. Elle nous laissait ensuite nous rouler dans le sable et nous sécher au soleil avant les derniers plongeons.

Tout compte fait j'étais heureuse de me baigner dans la mer. Mais il y avait un bain dont j'avais horreur, et où nous sommes allées une ou deux fois. C'est le bain russe. Toutes les femmes et les jeunes enfants se déshabillaient dans la même pièce, ensuite, sans le moindre vêtement, on entrait dans la salle de bain, où il fallait s'asseoir à même le plancher mouillé et glissant. Chaque baigneuse avait auprès d'elle un baquet rempli d'eau chaude ; on se savonnait, on se couvrait de cette eau qui coulait sur le plancher commun.

Cette toilette faite, les personnes raffinées passaient dans de petites pièces pleines de vapeur, et s'étendaient quelques instants sur des couchettes de bois. Elles sortaient de là cramoisies et merveilleusement contentes. Pour moi, je n'ai fait qu'entrevoir ces chambres de vapeur, et je crois que pour rien au monde je n'y serais entrée jamais.

Je poursuivais mes études avec bonheur. Je commençais à lire des poèmes de Lermontov, de Nekrassov, de Krilov — le La Fontaine russe. J'apprenais aussi à lire le français. Les dames de classe m'aimaient bien et me faisaient valoir auprès des inspecteurs en me présentant comme leur « oumnitsa ».[1] Cela suscitait des jalousies parmi les parents des élèves ; on en parlait en ville, on s'étonnait qu'une enfant juive fût si bien traitée ; ce qui rappelait sans cesse à mes parents la précarité de notre situation en Russie. J'avais à peine dix ans lorsqu'ils prirent la décision d'émigrer. Mon père partit le premier. Son intention était d'aller jusqu'à New York. Mais un ami qu'il se fit en chemin le persuada de s'établir à Paris. Un ou deux mois après le départ de mon père, maman à son tour se mit en route avec nous, pour aller le rejoindre.

De tout cela, de la grave décision de mes parents, du trouble qu'elle a dû apporter dans notre vie, du départ de mon père, de la séparation qui a tant fait souffrir mes parents, de notre voyage enfin je n'ai gardé qu'un souvenir confus de grande fatigue, d'angoisse et de mélancolie. Quelques rares images surnagent : je nous vois, ma sœur, maman et moi à bord d'un embarcadère, attendant un bateau. Le bateau arrive et

---

1. C'est-à-dire leur enfant intelligente et sage.

maman refuse de le prendre. Nous prenons le
bateau suivant. Maman m'a raconté plus tard
qu'un pressentiment lui avait fait refuser le
premier bateau, à qui en effet il est arrivé malheur. Je nous vois allant de bureau en bureau,
pour obtenir les papiers qui nous manquaient.
On nous faisait attendre interminablement,
aussi longtemps, m'a dit maman, qu'elle ne
pensait pas à glisser un rouble dans la main entr'ouverte de l'employé. Je nous vois enfin dans
le train qui nous conduit de Berlin à Paris. Que
tout cela est long ! ennuyeux ! fatigant ! Des
voyageurs ont pitié de cette jeune mère exté-
nuée ; il me semble que d'une manière ou d'une
autre on vient souvent au secours de maman,
parce que souvent elle a l'air content et elle
remercie. Je ressens tout cela, mais rien ne me
permet d'imaginer le moins du monde ce que
sera le terme de notre voyage. Je sais seulement
que nous allons retrouver papa, et c'est la grande
joie qui nous soutient, cette espérance est toute
notre force.

CHAPITRE II

PARIS

Je ne puis écrire ton nom, ô ville bien-aimée, sans une nostalgie profonde, sans une immense douleur ; toi que je ne reverrai peut-être jamais plus, toi que j'ai quittée peut-être pour toujours.

Toi qui as nourri mon âme de vérité et de beauté, toi qui m'as donné Jacques, et mon parrain Léon Bloy, et tant d'amis précieux qui ont embelli les jours de notre vie là-bas.

O ville de grande souffrance et de grand amour ! Qui pourrait parler dignement de l'offense qui t'a été faite ? — Il y faudrait David et Jérémie. Ville sans défense lorsqu'il a fallu te défendre par les armes de ce monde qu'on n'avait pas su te préparer, mais ville impérissable et puissante par les œuvres dont tu as enrichi la terre, par les saints dont tu as peuplé le ciel ; ô symbole de beauté, ô mémorial de chrétienté !

Ville de grand péché aussi, — mais qui est sans péché ? Ville où le bien a le pas sur le mal, et la vérité sur l'erreur ; capitale de la liberté.

Toi dont l'air est si léger et le ciel gris si doux ; toi dont les monuments harmonieux et délicats racontent avec une discrétion si pure une si longue, et tragique, et merveilleuse histoire ! O ville de sainte Geneviève et de saint Denys, ville de Psichari et de Péguy ! Ville de Racine et de Pascal, de saint Vincent de Paul et des Sœurs de Charité.

Ville des poètes et des peintres glorieux. Ville de Victor Hugo et de Baudelaire. Ville de la Concorde et des Champs Elysées, ville où saint Thomas a enseigné, ville où saint Louis a régné, ô ville de Notre Dame !

Joyau très précieux de la beauté du monde, de quel roi, de quel peuple racheté orneras-tu la couronne ? Oh, que ce soit le Roi de paix et de justice, un peuple d'humanité et de sagesse. Et que bientôt Dieu te relève de ta très grande humiliation.

Quand ai-je commencé à chérir Paris ? Je ne saurais le dire, cela s'est fait peu à peu. Il faut beaucoup de temps même à une grande personne pour comprendre l'âme et le langage

d'une ville, à plus forte raison à une enfant venant dé si loin et par sa race et par le lieu de sa naissance.

Ma première impression a été de tristesse. Nous arrivions par une matinée de brouillard et de pluie ; nous débarquions à la gare du Nord ; de là, à la rue des Francs-Bourgeois où nous devions habiter quelques jours, nous avons traversé des quartiers encombrés et sans grâce. Mon père nous attendait, nous étions réunis de nouveau, nous sentions tous la gravité de ce moment où une vie nouvelle commençait pour nous.

Mais elle commençait sévèrement. Rue des Francs-Bourgeois nous n'avions pour nous loger que deux chambres dans une maison assez sombre, et qui m'a paru très laide ; ce n'était pas notre spacieuse maison de Marioupol, il n'y avait pas de cour à la disposition des enfants, ni de fleurs, ni de remise pleine de voitures de toute espèce, de landaux et de traîneaux aux formes gracieuses, comme était la remise de nos voisins, où nous aimions jouer. Non, rien que des chambres tristes, qu'une maison grise, qu'une rue étroite.

Nous quittâmes bientôt la rue des Francs-Bourgeois pour le haut de la rue de Montreuil, plus proche de la périphérie de la ville et par là-même plus aérée. Notre logement était aussi un peu plus grand. Je ne me rappelle presque rien des deux ou trois mois qui s'écoulèrent depuis notre arrivée à Paris jusqu'au 1er octobre, jour de la rentrée des classes. Mes parents qui ne savaient pas un mot de français à leur départ de Russie, arrivaient miraculeusement à se tirer d'affaire ; je n'ai jamais pu comprendre comment à cette époque ils ont pu faire que rien ne nous manquât des nécessités de la vie quotidienne. Nous vivions en paix, Véra et moi, auprès de nos bons parents sans nous douter encore des difficultés qui nous attendaient nous-mêmes. Nous les rencontrâmes le jour de notre entrée à l'école communale du « Passage de la Bonne-Graine. »

Passage de la Bonne-Graine

C'était une toute petite école de quatre classes seulement, pour les fillettes de six à douze ans. Lorsque notre père qui nous avait amenées nous laissa dans la cour de récréation, nous nous trouvâmes tout à coup bien seules et tout apeurées ; à ce moment je sentis pour la première fois que j'étais une étrangère, dans un pays qui n'était pas le mien. Cependant les maîtresses nous regardaient avec gentillesse et compassion. Nos petites compagnes se pressaient autour de nous, prodigieusement étonnées devant ces « Russes » — comment peut-on être Russe ! — qui ne savaient même pas parler le simple langage français, pas même comme les plus petites d'entre elles !

On nous sépara ma sœur et moi, ce qui accrut encore notre détresse. On la mit en quatrième où tout naturellement elle apprit à lire le français, en même temps que ses petites camarades. Mais moi, parce que j'étais plus âgée et que je savais déjà lire un peu le français, on me mit en seconde. A dix ans je recommençais ma vie pour ainsi dire. Où étaient les heureuses années — les trois années ! — de mes études au lycée de Marioupol ! Où ces classes hautes et éblouissantes de propreté, ces grandes salles de récréation et de danse aux parquets brillants comme des miroirs, ces belles « dames de classe » élégantes et modestes dans leur tenue comme des religieuses ! Que tout cela était loin ! Ici, à moi petite étrangère, tout paraissait tellement étrange ! cette école exiguë, ces maîtresses qui avaient l'air de mères de famille, ces écolières sans uniforme dans leurs robes disparates et leurs vilains tabliers. J'éprouvais le sentiment d'une déchéance, mais ce

sentiment ne dura pas. Je me mis vite à aimer
mon école comme j'avais aimé mon lycée. Tant
de simplicité, la bonté des maîtresses, la gentillesse des enfants qui m'adoptèrent et me firent,
je crois, comme un traitement de faveur, eurent
l'avantage de me mettre à l'aise et de me délivrer
de toute timidité. Cela m'a été d'un grand
secours, surtout pendant les quinze premiers
jours qui furent pour moi une épreuve tragique. Je m'appliquais de toutes mes forces à
suivre les leçons, mais je n'arrivais pas à percer
les ténèbres du langage inconnu. Au bout de la
quinzaine, miséricordieusement, la maîtresse
ne marqua aucune note sur mon carnet.

Cependant dans ces ténèbres un travail profond devait s'accomplir. Mystère de la connaissance ! Comment donc s'établit le contact
du connu à l'inconnu ? Dans quelles régions
profondes habitent les identités du langage ?
— Comment une langue étrangère s'apprend-
elle par une enfant ? Mon expérience personnelle me porte à croire que ce n'est pas
seulement par l'adjonction d'une connaissance
particulière à une connaissance particulière ;
ce n'est pas seulement une question de vocabulaire et de mémoire ; l'intelligence n'accomplit
pas un travail de marqueterie (c'est ainsi, hélas,
que j'apprends l'anglais aujourd'hui) — non,

elle reçoit communication d'une forme spécifique en laquelle toutes les particularités de la
langue sont enfermées, comme toutes celles
d'un chêne dans le gland. A partir de là on ne
se trouve plus à proprement parler devant une
langue étrangère, on apprend « sa propre
langue » dont on a reçu le don comme un don
poétique.

Pour moi tout s'est passé comme si ces quinze
jours d'attention intense m'avaient fait entrer
dans les sources secrètes de la langue française,
m'avaient donné l'intuition de son génie forma-
teur. Parce qu'à partir de là j'eus le même sentiment de familiarité à l'égard des mots nouveaux
et des règles grammaticales qui entraient dans
ma connaissance, que les petites Françaises à
qui jamais une expression du langage français,
ou une particularité de sa structure, n'a dû
paraître étrange ou étrangère.

Tout à coup, donc, le voile se déchira. Dès
la seconde quinzaine je disposais de connaissances suffisantes pour comprendre les leçons,
écrire mes devoirs, réussir même une petite
dissertation française — et être classée deuxième.
Ce n'est pas par vanité que ma mémoire a
gardé ces souvenirs d'école, — tout le sérieux
et toute l'attention de mon âme d'enfant étaient
engagés dans ce premier combat pour surmonter

les difficultés de la vie. La quinzaine suivante je fus première, puis troisième, puis première de nouveau, et je restai ensuite toujours à la tête de ma classe. C'est qu'une fois en possession du petit vocabulaire de l'enfance j'avais sur mes compagnes l'avantage de mes études en Russie, d'un niveau plus élevé que celui de l'école communale. J'avais peut-être aussi pour soutenir mes efforts et mon zèle le sentiment d'un devoir particulier : je savais que mes parents avaient quitté la Russie, souffraient les peines de l'exil, la pauvreté, la séparation d'avec ceux qu'ils aimaient là-bas, (et qu'ils ne devaient plus jamais revoir) — tout cela pour ma sœur et moi, pour assurer l'avenir de nos études, et les conditions d'une vie digne et libre, à l'abri des vexations antisémites. Pour me permettre d'étudier à mon gré rien ne leur a jamais paru trop difficile ni trop dur. Ils avaient compris, avant même que j'aie pu le savoir moi-même, que là serait ma vie — le bonheur de ma vie.

Assez tôt je me rendis compte que j'avais des parents qui n'étaient pas comme ceux de mes compagnes. Toutes, elles devaient apprendre un métier. Elles savaient, leurs parents le leur répétaient, qu'elles ne pourraient longtemps être à la charge des leurs. Cela me semblait étrange, parce que malgré la pauvreté qui avait succédé à l'aisance dont ils jouissaient en Russie, mes parents ne me parlaient jamais que de mes études, de leur orientation, de l'Université où je devais entrer. Aussi à mes sentiments instinctifs d'attachement pour eux s'ajouta bientôt une vive reconnaissance. J'étais tenue à ne pas les décevoir, et je me sentais, étant l'aînée, comme chargée en quelque sorte des responsabilités de la famille.

Les premiers obstacles franchis, nous avançâmes doucement dans nos études, comme nos petites compagnes françaises. Je m'habituai à des mœurs scolaires nouvelles pour moi. En Russie il n'existait pas, à ma connaissance, d'autres moyens d'émulation, d'autres sanctions, que les notes trimestrielles, et à la fin de l'année un diplôme d'études portant une mention plus ou moins honorable et flatteuse. Ici, on donnait tous les jours des « bons points » et des « mauvais points ». A la fin de la semaine il y avait une distribution de « croix » plus ou moins grandes, plus ou moins belles, selon le nombre de « bons points » qu'on avait obtenus. Et ces croix on les portait ensuite toute la semaine épinglées sur le tablier ou sur la robe, en ville comme à l'école ! Un carnet de notes délivré tous les quinze jours, et soumis à la signature des parents, mentionnait le rang de l'élève dans la classe. Tous les trois mois il y avait une distribution de « récompenses. » C'étaient d'humbles choses sans beaucoup de valeur, mais chargées pour nous d'une poésie intense : des boîtes à ouvrage, des laines et des soies pour broder, du papier à lettre dans de petits pupitres en carton, des crayons de couleur et des pastels... Comme tout cela semblait beau et rare, et précieux à notre simplicité, à notre pauvreté.

Au mois de juillet enfin, couronnant l'année scolaire, avait lieu la solennelle « distribution de prix ». Les enfants s'y présentaient parées comme des anges, les cheveux rendus crépus et bouffants par le supplice d'une nuit passée en « papillottes ». Sur ces beaux cheveux les graves personnes chargées de remettre les prix posaient des diadèmes de roses blanches ou des couronnes de lauriers d'or et d'argent. Chaque matière du programme avait son « prix » : prix d'orthographe, de récitation, de calcul, d'histoire, de gymnastique, de dessin... Au-dessus de tous régnaient le prix d'Honneur et le prix d'Excellence. C'étaient de beaux livres, reliés en maroquin rouge, ou vert, ou bleu, et dorés sur tranches. Le prix d'Excellence était d'une grosseur exceptionnelle, une petite fille de douze ans pouvait à peine le porter.

Une particularité de cette école était le prix de « bonne camaraderie ». Il était attribué par les élèves elles-mêmes, et par voie de vote. Il consistait en une médaille de la ville de Paris, s'il vous plaît ! portant gravés le nom et le prénom de la « bonne camarade » élue. Je me souviens avec émotion de la gentillesse de mes compagnes pour moi, bien que dans ma gravité enfantine j'aie dû souvent me montrer ridiculement rigoureuse. Lorsque la maîtresse avait à s'absenter — ce n'était jamais pour bien long-temps — elle me chargeait de la surveillance de la classe, et je marquais sur le tableau noir le nom des « dissipées » et des « sages », avec une rigueur inflexible. Une fois, à peine la maîtresse partie, toutes les enfants devinrent folles ! Elles se mirent à crier à tue-tête, à se disputer, à se dé-mener comme des diables. Les ayant vainement suppliées de se taire et de travailler, pleine d'in-dignation et de désespoir, j'allai au tableau noir, et prenant mon morceau de craie comme le glaive de la justice j'inscrivis intrépidement les noms de toutes les élèves dans la colonne des « dissipées », et le mien seul dans celle des « sages ». La maîtresse qui surgit tout à coup dans la classe déchaînée, s'arrêta toute surprise

et me demanda ce qui s'était passé. « Elles
étaient toutes dissipées, et moi seule j'étais
sage », répondis-je. Toute la classe fut punie
excepté moi. Mais les enfants ne m'en voulurent
pas. Elles disaient : « Raïssa est juste », et me
trouvaient quand même « bonne camarade ».

Rencontre de la Poésie

Après être restée deux années « Passage de
la Bonne Graine » nous fûmes admises à une
école plus importante où, dans les cours com-
plémentaires on préparait aux brevets d'enseignement.

C'est là qu'entre l'âge de treize et quinze
ans, sous la direction de deux excellents professeurs, — je me souviens de leur nom, Mlle Dick-
schen et Mlle Diguet, — je fis la connaissance de
la littérature classique française. Ces deux
vieilles demoiselles me rappelaient par leur
tenue et leur distinction les « dames de classe »
du lycée russe. J'admirais leurs belles mains
blanches quand elles retiraient leurs gants de
ville pour passer tout aussitôt les gants qu'elles
gardaient toute la journée à l'école. Je ne puis
oublier leur bonté, leur dévouement à leurs

élèves, la qualité qui devait être exceptionnelle de leur enseignement.

J'entrais dans le monde des grandes personnes. Je lisais Racine et Corneille. Celui-ci m'exaltait. Mais Racine m'apportait quelque chose de tout à fait nouveau : l'harmonie et la musique des mots soumis aux règles mystérieuses de la rime et du rythme, — la valeur des mots en eux-mêmes, non plus en tant que signes de la réalité, mais en tant qu'objets ayant leur forme propre, leur musique et leur magie — la poésie enfin, la Poésie !

Les poèmes russes que j'avais lus à l'âge de neuf et dix ans ne m'avaient pas apporté cette révélation ; à part leur balancement rythmé ils étaient pour moi des récits comme les autres. La faute n'en était certes pas aux poètes russes que j'ai tant aimés plus tard, mais à mon âme d'enfant qui n'était pas prête à les entendre.

L'histoire des héros raciniens, la tragédie elle-même, me touchait beaucoup moins que leur langage parfait, la mesure sans défaut, le déroulement sans hiatus de leur discours. C'était pour moi un chant continu, profond, émouvant comme l'éveil d'un monde, comme la naissance d'une âme. Avec lui mon âme grandissait, s'approfondissait, sortait de l'enfance, commençait à gravir les degrés des sentiments. Conduite par la douce main de la poésie racinienne j'entrais dans une sorte de crépuscule mélancolique dont peu à peu se dégageait l'univers humain avec sa complexité merveilleuse, ses questions immenses et ses réponses innombrables.

A cette époque, je devais avoir un peu plus de treize ans, mon père me fit un cadeau royal, il m'acheta les œuvres complètes de Victor Hugo. Dix ou douze grands volumes reliés en rouge. Quel trésor incomparable et quelle découverte au sein même de la poésie que ces poèmes brillants comme des soleils du feu de leurs images sans nombre ! Que de mots nouveaux ; et quelle variété de formes poétiques ! Victor Hugo me faisait l'effet d'un dieu de l'Olympe. Il me semblait si peu un être de notre espèce que lorsque beaucoup plus tard son arrière-petit-fils le peintre Jean Victor-Hugo entra dans le cercle de nos connaissances et devint notre ami, cela me parut aussi peu vraisemblable et aussi merveilleux que de voir entrer dans la vie réelle un personnage de Blanche-Neige, ou de la Belle au Bois Dormant.

Racine me touchait plus profondément, mais Victor Hugo m'étonnait davantage. Avec lui je fis un pas dans la connaissance de l'humanité en lisant « Les Misérables », mon premier roman. Cette lecture me passionna ; elle me mettait en

communication profonde avec des êtres créés
par un poète.

Ce contact avec la poésie et les œuvres
d'imagination me fit bientôt trouver trop
« quotidienne », pour parler comme Laforgue,
notre vie de chaque jour. Et, phénomène tout
nouveau pour moi, je commençai à m'ennuyer.
Tous les matins, en m'éveillant, je me trouvais
bien malheureuse, et je soupirais à la pensée
qu'il fallait reprendre la routine scolaire comme
la veille. Cet ennui était vital et profond et il a
duré plusieurs années. Il venait, je crois, de
l'abondance des connaissances nouvelles touchant la vie humaine qui m'avait été donnée
en peu de temps. Ces richesses faisaient pression
sur mon cœur, et il était trop puéril encore,
trop petit pour les contenir ou pour y répondre.
Mais elles étaient là et m'accablaient et dé-
coloraient ma vie d'enfant.

Bientôt une autre cause de malaise moral se
précisa : vers l'âge de quatorze ans je commençai
à me poser des questions au sujet de Dieu.
Maintenant que je savais à quel point (du
moins je l'entrevoyais) les hommes peuvent
être malheureux ou méchants, je me demandais
si vraiment Dieu existait. Je me rappelle très
clairement que je raisonnais ainsi : Si Dieu est,
il est aussi infiniment bon et tout-puissant. Mais

s'il est bon comment permet-il la souffrance ?
et s'il est tout-puissant comment tolère-t-il les
méchants ? Donc il n'est ni tout-puissant ni infiniment bon, donc il n'est pas.

Cette conclusion qui devait me désespérer
plus tard, restait encore dans la région des idées
proposées plutôt qu'affirmées. Idée affligeante,
mais que je n'acceptais pas vraiment. Je me réservais instinctivement, je me préservais du
désespoir. J'attendais ; j'espérais dans la solution de la science, de cette science qui m'était
promise, de ces savants qui seraient mes maîtres,
un peu plus tard. Et je continuais à prier en
secret matin et soir, ce Dieu qui s'effaçait de
mon esprit, mais que mon cœur ne voulait pas
abandonner.

C'était un grand drame qui commençait, et
dans ce drame j'étais seule. Mes parents ne m'y
furent d'aucun secours. Ils avaient abandonné
presque toutes les pratiques religieuses, et l'influence de mes grands-pères était loin ! Cependant ils gardaient leur foi en Dieu ; et ils
ne croyaient pas que leur enfant pourrait vraiment la perdre ; ils vivaient dans cette sécurité.

A l'école je ne trouvais non plus aucun enseignement religieux. Toutes les petites filles
faisaient leur première communion. Ce jour-là
elles venaient graves et toutes vêtues de blanc,

distribuer des images pieuses à leurs compagnes.
Et les maîtresses comme les élèves les accueil-
laient avec joie, les embrassaient et les félici-
taient. Mais je n'y voyais qu'une affaire de rite
et d'usage, — je n'avais aucune idée du sacrement, et personne ne songeait à m'en parler,
dans la persuasion sans doute que j'étais instruite de ces choses comme les autres enfants
de mon âge. Je dédaignais les images pieuses
dont le sens m'échappait, et je demeurais dans
mon ignorance totale du christianisme. Cependant j'avais lu « Polyeucte », j'en avais dit et
redit bien des fois les célèbres « Stances », et je
l'avais aimé plus que toutes les autres œuvres
de Corneille. — Comment n'en avais-je pas été
au moins un peu éclairée ? Il est probable que
tout cela était resté pour moi dans la région de
ces belles « histoires » dont les grands écrivains
ont le secret, et dont je ne voyais pas la con-
nexion avec la vérité et la vie.

Avec mes compagnes de classe je n'avais que
des relations de camaraderie. Véra et moi nous
n'étions liées qu'avec une seule de ces enfants,
mais d'une amitié si réelle qu'elle a persisté à
travers les années. Elle s'appelait Jeanne Bouvray. Fine et sensible elle souffrait beaucoup
du caractère dur et autoritaire de sa mère. Aussi
tous les jours à la sortie des classes nous l'em-

menions chez nous pour le goûter. Nous parlions ensemble des événements de l'école, et de
notre travail ; elle me confiait ses chagrins
d'enfant ; moi je ne me confiais jamais, je
restais seule avec mes tourments. Réserve ou
orgueil, je ne sais, mais au fond j'ai toujours
pensé que personne au monde n'est réellement
digne de la confidence de personne.

Jeanne Bouvray est la troisième et la dernière
de mes amies d'enfance. La première et la plus
chérie était Clara Bestchinska, l'amie de mes
deux ans. La seconde était Titicheva, petite-
russienne typique dont je me rappelle le visage,
mais dont j'ai oublié même le prénom.

Ma chère Jeanne Bouvray, à l'heure où j'écris
ces lignes, se trouve-t-elle à Paris, ou en terri-
toire non occupé ? Elle est quelque part en
France et je ne sais rien d'elle, ni de son mari
ni de son fils, ni de la mesure de leurs souffrances.

Après les œuvres complètes de Victor Hugo,
mon père, qui cherchait toujours à nous donner
un peu de joie, acheta un piano. Nous venions
de déménager et nous habitions un appartement assez spacieux pour le contenir. Depuis
quelque temps déjà j'allais avec ma petite sœur

étudier la musique chez des amis de mes parents, mais cela ne nous permettait pas de nous exercer beaucoup. Aussi l'acquisition d'un piano fut-elle fêtée chez nous comme un accomplissement nécessaire et comme un grand événement.

On peut voir à ce signe que nous retrouvions une certaine prospérité. Mon père s'était fait des amis dans la colonie russe ; et il avait réussi à reconstituer un petit atelier. Et dès qu'il eut un peu d'argent il reprit ses habitudes de générosité et d'imprévoyance absolue qui nous faisaient une vie mêlée de beaucoup de douceur et de beaucoup d'angoisses.

Tout d'abord il donna des bijoux à maman, son grand bonheur étant de la voir jolie et parée. Et maman aussi recommença à nous faire de belles robes. Ensuite il m'acheta des livres, — où était mon bonheur à moi. Puis il meubla notre nouvel appartement, dont le piano fut à vrai dire le seul luxe. Ensuite il se mit à donner de l'argent à ses clients, de pauvres étudiants russes ; ensuite à en emprunter lui-même pour boucher les trous que cela creusait dans son budget.

Cela nous conduisit souvent aux bords de la catastrophe. On passait par les pires inquiétudes ; mais à la fin du mois tout se redressait comme par magie. Cruelle magie ! Que de

courses, que de démarches il avait fallu faire !
Mon père s'y épuisait. Mais à peine tiré d'embarras il se croyait de nouveau riche, achetait
des bijoux à sa femme, venait en aide à ses
clients, incapable qu'il était de jamais rien refuser à qui était, ou paraissait être, plus pauvre
que lui, — et tout recommençait. J'appris de
cette manière ce que l'acquisition d'un peu
d'argent peut coûter de forces, ce que le manque
d'un peu d'argent peut représenter de souffrances. Et lorsque quelques années plus tard je
vis Léon Bloy aux prises avec la pauvreté et la
misère, il me fut facile de compatir et de comprendre. Cela me valut le très haut privilège
d'être accueillie et considérée par lui comme
appartenant à son douloureux monde, au
monde de ceux qui ne regardent pas la pauvreté du dehors.

Le piano apporta une puissante diversion à
ma naissante mélancolie et à mes préoccupations
religieuses. Il devint le chaud foyer de la maison. Je fus prise d'une fringale de musique et
je fis bientôt assez de progrès pour que mon
professeur me conseillât de laisser mes études
et de me donner entièrement à la musique. Mes

parents ne s'y seraient pas opposés. Ce fut une tentation pour moi, mais qui ne dura pas. Mon désir de la connaissance fut le plus fort. J'avais le sentiment inexprimable que la musique ne m'abandonnerait jamais ; et d'une certaine manière il en a été ainsi, elle est restée pour moi un compagnon toujours présent, toujours prêt à me dispenser de la joie, à me faire entrer dans le secret de ce langage sans paroles qui par la simple proportion de l'élément sonore sait donner un si haut plaisir, raconter tant de choses, persuader, toucher, émouvoir, bouleverser et éblouir le cœur. Mais avant tout il fallait m'assurer l'essentiel : la possession de la vérité sur Dieu, sur moi-même, et sur le monde. C'était, je le savais, la base nécessaire à ma vie ; je ne pouvais sans faire se dérober le sol sous mes pieds renoncer à la découvrir. Tel était mon instinct profond. Et il me fallait par un travail assidu me préparer à recevoir les difficiles secrets de l'esprit. Tout le reste, pensais-je, viendrait ensuite, aurait son temps, — la musique, la douceur du monde, le bonheur de la vie.

Je ne savais pas alors quel labeur considérable exigeait la musique, et que d'un tel labeur je ne trouverais plus jamais le temps.

Et mon enfance ne savait pas non plus à quoi exactement je renonçais ; parce que j'ignorais alors la plupart des grandes œuvres musicales, — nous n'allions jamais au concert à cette époque de mes quatorze ans. Je ne connaissais encore que les quelques sonatines et sonates de Kuhlau, de Mozart et de Beethoven que j'étudiais. Cela suffisait à créer le problème, mais non pas à me tenter au-delà de mes forces.

A quinze ans, mon brevet obtenu, je quittai l'école où je n'avais plus rien à faire. Il fallait maintenant songer au baccalauréat.

Comme je n'avais pas envie de retourner en classe on décida que je préparerais mes examens à la maison avec le secours d'un professeur.

Nous changeâmes encore une fois d'habitation, et de la rive droite nous passâmes à la rive gauche, pour nous rapprocher du quartier latin et de la colonie russe où mes parents avaient presque toutes leurs connaissances et leurs amis.

Là nous eûmes la joie, nos parents, ma sœur et moi de recevoir nos lettres de naturalisation française. Je ne me sentis plus jamais étrangère en France, et je m'attachai à ce pays comme à une patrie d'élection, la plus belle que l'on pût avoir au monde.

Ma sœur, dont la santé était trop délicate pour lui permettre des études suivies, ne retourna pas non plus en classe. Libérée de l'école je me remis au travail avec un nouveau courage. Je préparai seule le programme de la première partie du baccalauréat, à l'exception de la littérature où je reçus les leçons d'un jeune étudiant en droit du nom de Cazeneuve.

Je me présentai à l'examen avec une dispense d'âge, et mon professeur, tout enflammé de mon succès, me fit une déclaration—la première que je recevais—et me demanda en mariage. J'en fus surprise et bouleversée, et je refusai la main de mon professeur. Le sentiment d'une grande responsabilité me pénétra et je me sentis tout à coup dépossédée de la longue sécurité de mon enfance. Mais appliquée à mes études j'oubliai bientôt cet incident.

Cette année inaugura pour moi la période des grandes lectures, — et des grandes discussions, — je fis la connaissance des auteurs du XIXème siècle, français et russes. Beaucoup de Russes fréquentaient chez mes parents, réfugiés politiques ou simplement étudiants. Ils venaient le soir, et les soirées se prolongeaient fort tard ; les questions sociales et religieuses étaient passionnément débattues. Toute cette jeunesse faisait le procès de Dieu et du monde.

Leurs arguments n'étaient pas d'un niveau philosophique très élevé, je le compris plus tard. Leur philosophie était simpliste. Et je dois dire que même chez les grands révolutionnaires

russes elle ne s'est guère approfondie avec les
années. Tous ils en sont restés à Darwin et à
Herbert Spencer, et ils n'ont pris à la philosophie allemande que ce qui pouvait servir à
étayer leur marxisme. Ils étaient généreux et ils
avaient une passion communicative de la justice, mais l'athéisme était leur dogme fondamental, et comme le cœur de leur cœur. Ce
trait m'avait si fortement impressionnée que
plusieurs années après, lorsqu'éclata la Révolution d'octobre 1917, j'eus tout de suite le sentiment de son exceptionnelle gravité. Et alors
qu'un observateur averti comme Jacques Bain-
ville écrivait « ce n'est qu'une révolution de
palais », je maintenais devant mon mari et nos
amis qu'à cause de leur athéisme fanatique les
révolutionnaires russes iraient aussi loin que
possible, jusqu'à un bouleversement radical des
structures de la vie humaine. Pour en être persuadé il suffisait de les avoir un peu connus.

De ceux qui venaient alors à la maison je n'ai
retenu aucun nom. Ils étaient tous plus âgés que
moi, ils fréquentaient la Sorbonne ou la Faculté
de médecine, et par là ils m'en imposaient.
J'inclinais de plus en plus à les croire, et de jour
en jour grandissaient ma tristesse et l'ennui de
vivre, que ni le travail ni aucune distraction
n'arrivaient à surmonter.

Nous commençâmes, ma sœur et moi, à aller aux Concerts Colonne et aux Concerts Lamoureux. Je m'étais mise à déchiffrer beaucoup de musique de piano et de chant. Assez souvent aussi nos parents nous emmenaient aux soirées organisées par la colonie russe où, après une partie musicale ou littéraire, on dansait jusqu'au matin. Nous gardions toujours dans notre mise une simplicité candide. Il n'était pas question de robes de bal ! Je venais avec ma plus jolie robe d'après-midi, quelle qu'elle fût. Une fois cette robe était en drap garni de velours, col montant et manches longues. Je dansai plus que jamais ; mais j'ai eu si chaud que je ne l'oublierai de ma vie.

Rien n'arrivait cependant à combler le vide grandissant de mon cœur. Il était toujours en attente d'un grand événement, d'une parfaite plénitude. L'espérance, encore, l'habitait ; mais sa flamme était vacillante.

Rencontre de la Philosophie

La philosophie vint à moi d'abord sous les traits remarquables du Dr. Charles Rappoport, à qui mes parents avaient demandé de me préparer au second examen du baccalauréat, l'examen de philosophie.

Le Dr. Rappoport, au nez camus, à la barbe longue, rousse et bouffante, et répandue sur tout le visage, était connu dès lors comme théoricien marxiste, et collaborateur de Jaurès. Mais ce n'est pas là ce qui m'intéressait. Pour moi le Dr. Rappoport planait dans le ciel métaphysique du troisième degré d'abstraction.

Dès les premières leçons je sentis les dispositions religieuses de mon enfance à l'égard de la vérité désirée affluer de nouveau en moi. Je me rappelle que mon professeur me demanda alors ce que, avant tout, je voulais savoir ? — « Savoir ce qui est ! » lui répondis-je avec élan, et sans réfléchir. Il trouva que j'avais « l'esprit philosophique », et cela m'encouragea beaucoup. Il fut très bon et très patient avec moi, il ne méprisa pas mon ignorance.

Je veux lui apporter ici mon modeste témoignage. C'était un homme très bon et d'un grand désintéressement. Il était parfaitement convaincu de la vérité du marxisme et croyait en l'avènement d'une ère de liberté et de bonheur universel. Plus tard il adhéra au communisme, mais lorsqu'il se fut rendu compte de la véritable nature du totalitarisme soviétique il n'hésita pas à rompre avec lui, avant même les fameux « procès de Moscou » où la plupart des grands auteurs de la Révolution de 1917 parurent rechercher eux-mêmes, par d'incroyables confessions, un verdict de mort.

Pendant toute une année le Dr. Charles Rappoport me fit un cours d'histoire de la philosophie. Lui-même était kantien, mais il ne fit rien pour me faire préférer le kantisme à tout autre système. Je n'avais de mon côté aucune hâte à conclure, à choisir. Là encore j'attendais, je me réservais. C'était déjà une joie immense de voir que d'autres que moi avaient cherché la vérité, n'avaient pas dédaigné de consacrer leur vie à cette recherche. Que de trésors s'étaient révélés à l'activité de l'intelligence humaine ! Je pensais que parmi eux, un jour, je trouverais le mien — une vérité absolue, une vérité inébranlable ! Je connaîtrais le sens de la vie, et la vérité sur Dieu. Mais je croyais aussi qu'aucune certitude de cet ordre ne pouvait être obtenue sans l'épreuve et sans l'approbation de la science.

On peut voir par là que mon professeur avait omis de me parler de la hiérarchie des connaissances. Dans mes « degrés du savoir » je plaçais tout en haut une Science physique dominatrice, pesant et mesurant toutes choses, et donnant la clef de toutes les énigmes de l'univers.

Philosophie et religion, conduite de la vie

privée, structure des sociétés, je croyais que tout dépendait des découvertes des sciences naturelles et physiques.

Cette persuasion je la devais à l'ambiance intellectuelle où je vivais. Tous ces étudiants et ces Doctors qui fréquentaient chez mes parents pensaient ainsi. Ils étaient scienticistes, déterministes, positivistes, matérialistes, et je l'étais avec eux. Ou plutôt, avec ce sentiment d'attente qui ne me quittait pas, et qui me rendait toutes choses provisoires, je les croyais, sans donner encore à leurs thèses une adhésion réfléchie.

CHAPITRE III

LA SORBONNE

Adolescence

Dix-sept ans ! Seulement dix-sept ans, et déjà
les plus profondes exigences de l'esprit et de
l'âme élèvent leur voix. Toute une vie est déjà
vécue, celle de l'enfance, celle de la confiance
illimitée. Maintenant l'adolescence est là, avec
sa vertu propre qui est une totale exigence. En
vérité l'adolescence fait face à l'univers, et lui
enjoint de comparaître, et de rendre des
comptes, et de s'expliquer, et de se justifier, car
déjà elle accuse la vie. Elle fait face à ses maîtres,
le regard clair, l'esprit ardent, les mains grandes
ouvertes, vides encore de tout fruit de science
et de sagesse, mais nettes comme son regard.

Si les maîtres se souvenaient un peu de l'âme
de leur jeunesse, comme ils trembleraient devant l'ingénuité qui vient à eux avec la con-

fiance encore de l'enfant, avec déjà les droits d'un juste juge. Mais les maîtres de ce temps-là, si bons, si dévoués, si compétents qu'ils fussent, semblaient avoir tout oublié, les maîtres eux-mêmes avaient été depuis longtemps égarés. De génération en génération ils s'étaient éloignés toujours davantage des grandes exigences de l'esprit humain. Le développement éblouissant des sciences de la nature physique et les espérances infinies qu'il avait éveillées avaient fait mépriser les disciplines de la sagesse. — Cette sagesse à laquelle, cependant, nous aspirons avant et après et par-dessus toute connaissance des sciences particulières.

Les maîtres dont j'évoque ici la responsabilité à l'égard de nombreuses générations d'étudiants, n'étaient pas tant les savants que les philosophes, et parmi les savants ceux-là seulement qui, dépassant les limites de leur science et de leur compétence, professaient plus ou moins consciemment une métaphysique informe et simpliste, où je retrouvais, et cette fois affirmés par les maîtres eux-mêmes, l'empirisme naïf, le mécanicisme et le matérialisme que j'avais déjà entendu professer par quelques uns de leurs élèves.

Voici donc la Sorbonne au début de notre siècle, dans les années qui ont précédé la guerre de 1914. Voici la Sorbonne que j'ai connue. Elle n'a gardé aucun vestige, aucun souvenir, de ses maîtres du moyen âge. Ses vastes amphithéâtres, sa magnifique bibliothèque sont décorés de peintures modernes, maintenant presque toutes noircies et affadies. Mais j'ignore le moyen âge, je ne regarde pas les fresques vraies ou marouflées. Comme le chat dont parle Kipling « qui s'en allait tout seul », je m'en vais toute seule à travers les cours et les couloirs remplis d'une jeunesse bruyante et bavarde. Toute seule, ne connaissant personne. Je ne parle à personne ; je ne cherche à connaître personne. J'ai affaire seulement à ces maîtres qui, sans que je les interroge, vont certainement répondre à toutes mes questions, me donneront de l'univers une vue ordonnée, mettront toutes choses à leur vraie place, après quoi je saurai moi aussi quelle est ma place en ce monde et si je peux ou non accepter la vie que je n'ai pas choisie, et qui déjà me pèse.

Ce qui me meut alors ce n'est pas la curiosité, je ne suis pas avide de savoir n'importe quoi, encore moins de tout savoir ; je ne suis pas bouleversée par « les découvertes de la science » — pour le moment elles me laissent assez indifférente, comme quelque chose d'excellent mais qui ne me regarde pas immédiatement. Non, je

ne cherche vraiment que ce dont j'ai besoin
pour justifier l'existence, ce qui me paraît, à
moi, nécessaire pour que la vie humaine ne soit
pas une chose absurde et cruelle. J'ai besoin de
la joie de l'intelligence, de la lumière de la
certitude, d'une règle de vie établie dans une
vérité sans défaut. Avec de telles dispositions,
évidemment, j'aurais dû d'abord m'adresser aux
philosophes. Mais personne ne m'avait con-
seillée. Et je croyais encore que les sciences de
la nature avaient la clef de toute la connaissance.

Je prends donc mes inscriptions à la faculté
des Sciences. Je suis les cours de Bonnier, de
Matruchot, de Haug, de Gentil, de Dastre et
de Lapicque, et puis de Giard et de Le Dantec.
J'apprends la Botanique, la Géologie, la Physiologie, l'Embryologie. Naturellement aucune de
mes « questions » n'est traitée par les savants
éminents qui nous apprennent la structure de
l'Univers physique. Ce sont d'admirables obser-
vateurs, qui aiment cette tranquille étude de la
nature. Pour moi je voudrais, cette même
nature, la connaître d'une autre manière — dans
ses causes, dans son essence, dans sa fin. Un jour
je m'enhardis à le dire au professeur Lapicque.
— « Mais c'est de la mystique ! » s'écria-t-il in-
digné. Formule de scandale chère aux contemp-
teurs de la métaphysique, et, depuis, tant de fois

entendue à la Sorbonne, où elle servait à con-
damner toute activité de l'intelligence qui veut
s'élever au-dessus de la simple constatation
empirique des « faits ». Pour moi, première
blessure ; première atteinte en mon esprit à la
confiance que je portais à mes maîtres.

Le plus grand de mes amis

Un jour où, toute mélancolique, je sortais
d'un cours de M. Matruchot, professeur de
physiologie végétale, je vis venir à moi un jeune
homme au doux visage, aux abondants cheveux
blonds, à la barbe légère, à l'allure un peu
penchée. Il se présenta, me dit qu'il était en
train de former un comité d'étudiants pour
susciter un mouvement de protestation parmi
les écrivains et les universitaires français, contre les mauvais traitements dont les étudiants
socialistes russes étaient victimes en leur pays.
(Il y a eu à cette époque en Russie des émeutes
universitaires sévèrement réprimées par la
police tsariste.) Et il me demanda mon nom
pour ce comité. Telle fut ma première rencontre avec Jacques Maritain.

L'activité de ce comité consistait à solliciter
la signature des représentants de l'intelligence

française pour une lettre de protestation que
Jacques devait remettre et qu'il a remise en effet
à l'Ambassade de Russie. J'ai rendu visite ainsi
avec lui à bien des célébrités dont j'ai maintenant oublié le nom, non qu'elles ne soient toujours célèbres, mais je ne sais plus auprès des-
quelles le Comité m'envoya alors. Nous avions
obtenu un grand nombre de signatures et de
lettres. Le précieux dossier de ces autographes
a disparu.

Nous devînmes vite inséparables. Jacques
était déjà licencié en philosophie, mais il préparait aussi une licence ès sciences, et fréquen-
tait les mêmes cours que moi.

Après les cours il m'accompagnait à la maison ; parfois d'autres camarades se joignaient
à nous, mais le plus souvent nous étions seuls.
Nous avions un assez long chemin à faire. Nos
causeries étaient interminables. Il négligeait
l'heure des repas chez lui, ce qui chagrinait sa
mère et dérangeait beaucoup la cuisinière, d'autant plus qu'à cette époque, il s'était mis en tête,
par tolstoïsme, de servir lui-même à table. Lorsque je l'ai su plus tard, j'en ai eu du regret,
mais pouvions-nous, alors, lui et moi, penser à
de telles contingences ! Est-ce que rien existait
auprès de tout ce que nous avions à nous dire ?
Il fallait repenser ensemble l'univers tout en-

tier ! le sens de la vie, le sort des hommes, la justice et l'injustice des sociétés. Il fallait lire les poètes et les romanciers contemporains, fréquenter les concerts classiques, visiter les musées de peinture... Le temps passait trop vite, on ne pouvait le gaspiller dans les banalités de la vie.

Pour la première fois je pouvais vraiment parler de moi-même, sortir de mes réflexions silencieuses pour les communiquer, dire mes tourments. Pour la première fois je rencontrais quelqu'un qui m'inspirait d'emblée une confiance absolue ; quelqu'un qui, je le savais dès lors, ne me décevrait jamais ; quelqu'un avec qui, sur toutes choses, je pouvais si bien m'entendre. Un autre *Quelqu'un* avait préétabli entre nous, et malgré de si grandes différences de tempérament et d'origine, une souveraine harmonie.

Jacques Maritain avait les mêmes préoccupations profondes que moi, les mêmes questions le tourmentaient, le même désir de la vérité l'animait tout entier. Mais il avait plus de maturité que moi, déjà plus de science et plus d'expérience, plus de génie surtout ! Il devint donc tout de suite mon grand appui. Il était déjà alors débordant d'activité intérieure, de bonté, de générosité — sans nul préjugé : d'une âme toute neuve, et qui paraissait constamment inventer elle-même sa loi ; sans nul respect humain — parce qu'il avait le plus grand respect de sa conscience ; très apte à « passionner le débat » quel qu'il fût, comme le lui avait déjà reproché son professeur de philosophie au lycée. Toujours prêt à l'initiative d'une action généreuse, si la justice ou la vérité y étaient intéressées. Sa culture artistique était déjà alors d'un niveau très élevé, grandement favorisée par son sens inné de la poésie et de la beauté plastique.

C'est lui qui m'a découvert l'univers immense de la peinture. C'est avec lui que pour la première fois je suis allée au Musée du Louvre.

De la Peinture

En rappelant mes souvenirs je m'aperçois que Jacques m'a fait connaître les grands peintres selon un certain ordre, et non au hasard. Il m'a d'abord conduite devant les tableaux des Primitifs italiens, qui sont évidemment ceux qu'on aime d'emblée, et sans qu'une éducation préalable soit nécessaire. C'est par eux qu'en Occident cette éducation commence. Le très grand art du peintre, comme ignorant de soi-même, s'y pare

modestement de grâce toute simple et de fraîcheur. La beauté picturale s'y marie à la beauté
des modèles élus, comme à l'intérêt des « sujets » traités. L'académisme n'y a pas encore
apporté sa froideur, son orgueilleuse distance,
ni la brutalité et le mauvais goût du trompe-
l'œil, de sorte qu'on ne se trompe pas en se lais-
sant toucher. Duccio, Giotto, Angelico, vous
introduisent tout à la fois à la beauté comme
purifiée de ce monde, et au monde de la bénignité et de la douceur de la grâce divine, sans
qu'on y pense ; mais on est heureux.

Plus encore que les Primitifs italiens ceux de
l'Ecole française m'émurent et m'attachèrent à
jamais. Leur facture sobre et dramatique à la
fois, la profondeur du sentiment douloureux
qui se dégage de leurs œuvres, la grâce toute
française des visages et des attitudes — ces petits
visages de femmes, ramassés comme un poing,
au nez un peu retroussé, au front large et
bombé, au sourire modeste et malicieux, cette
allure point guindée des Vierges dans leurs
grandes robes larges, ou dans leurs tuniques très
peu grecques — comme je les aimais ! Combien
la France m'était aimable et chère en elles !

Et les photographies des tableaux préférés
commencèrent à envahir l'appartement de mes
parents. Avec elles entra aussi, d'une certaine

manière, le christianisme. La plupart de ces
images en effet représentaient des Annoncia-
tions et des Visitations, des Nativités et des Cru-
cifixions, des Vierges, des Anges, des Apôtres et
des Saints. La beauté apportait le lointain message évangélique à travers les plus heureux
temps de la Chrétienté. Nous admirions, nous
aimions la beauté du message, ignorants encore de sa vérité.

Les peintres fastueux de la Renaissance ita-
lienne, espagnole, flamande, m'éblouirent. Mais
l'éblouissement n'est pas nécessairement l'a-
mour. Un peu de froideur se glisse dans un art
si merveilleusement conscient de lui-même, et
permet à l'admiration un certain détachement
qui parfois rompt le charme. Parmi tant de
Maîtres extraordinaires, au-dessus de Léonard
de Vinci, de Michel Ange, de Raphaël, du Ti-
tien, au-dessus de tous j'aimai Rembrandt et
Zurbaran, le Greco et Giorgione... Zurbaran
devait m'apparaître de plus en plus comme le
plus religieux et le plus mystique des peintres,
et Rembrandt comme le plus contemplatif dans
son art même, — celui qui réalise le plus intérieurement son atmosphère propre. Rembrandt
a des personnages de l'Ancien Testament un
sens incomparable. Peut-être a-t-il vu dans les
Synagogues des Pays-Bas ces visages clairs-obs-

curs, éblouissants dans les ténèbres de leur nuit pleine d'espérance ; et il a créé une technique apte à exprimer cette beauté cachée, plus mystérieuse que charnelle. C'est la parfaite antithèse de Rubens.

Rembrandt fut cependant la cause innocente de la première et violente discussion que j'eus avec Jacques, et où commença à nous être révélé le besoin que nous avions de nous trouver en toute occasion absolument d'accord l'un avec l'autre.

Je nourrissais pour Rembrandt une admiration passionnée. Mais le tableau appelé la « Boucherie », et où le peintre a représenté avec beaucoup de réalisme un bœuf écorché, me déconcerta. Je déclarai ne point l'aimer, et me butai dans cette attitude, fondée il est vrai sur un sentiment profond. Ce que le sujet avait de vulgaire — non son humilité mais sa brutalité, ce dont, dans la réalité, j'aurais détourné les yeux, — me semblait indigne d'un si grand artiste.

De son côté Jacques, dont la sensibilité esthétique était mieux décantée que la mienne des composantes ou morales ou simplement naturelles, prétendit mettre cette « Boucherie » au même rang absolument que le touchant « Philosophe » à la barbe de travers, ou la fas-

71

tueuse « Fiancée Juive », ou les pathétiques portraits du peintre par lui-même.

Ce dissentiment nous était intolérable, mais pour nous réconcilier il n'y avait pas d'autre moyen que d'arriver à nous comprendre, et à essayer de résoudre le problème en lui-même. Ainsi ont commencé nos réflexions sur l'art.

Cette question de l'importance du sujet dans la Peinture n'a été vraiment résolue que par l'exemple des grands peintres du XX° siècle. La plupart d'entre eux ont négligé les sujets importants par eux-mêmes, par leur signification, ou par leur beauté naturelle, mais ils ont tenu d'autant plus à la plus subtile qualité de la matière picturale, liée non seulement à une technique très savante, mais aussi à la présence de cette âme de tous les arts qu'est la poésie, invisible et souverainement agissante, et qui se trouve essentiellement non dans un « sujet » extérieur au peintre, mais dans l'émotion génératrice de l'œuvre tout entière, matière et forme indistinctement. Cette émotion peut être provoquée par une réalité immense ou infime, et la beauté de l'œuvre d'art ne se confond jamais avec celle du sujet traité.

Cette distinction une fois faite on comprend d'autant mieux la liberté de l'artiste à l'égard

CHARLES PÉGUY

du donné naturel. Un Corot par exemple rend merveilleusement la beauté difficile à égaler de paysages que l'on contemplerait aussi dans la nature avec une joie infinie. Mais un Utrillo donne une beauté grande et émouvante aux plus banales maisons des quartiers les plus disgraciés de Paris. Un Henri Rousseau paraît peindre naïvement, et avec une fidélité scrupuleuse toutes les feuilles des végétations tropicales. Mais ces tropiques il ne les a jamais vus. Et ses tableaux « naïfs » atteignent au plus grand style pictural.

Mais en ce temps-là, au temps où la « Boucherie » de Rembrandt me scandalisait, je connaissais encore très mal les peintres modernes. Je continuai mes visites au Musée du Louvre. Je trouvais difficile la connaissance des classiques français. Mais j'aimais Watteau. Le XIXᵉ siècle me fut plus accessible, surtout Corot, et puis Manet. Certains paysages de Monet me faisaient pleurer. De Puvis de Chavannes, dont les fresques décorent le Panthéon, je trouvais belle surtout la « Sainte Geneviève veillant sur Lutèce endormie ». Est-ce qu'elle a cessé de veiller sur sa ville ? S'est-elle elle-même endormie du sommeil des Bienheureux devenus insensibles à la beauté de ce monde qui passe ?

Je ne connus vraiment que plusieurs années

plus tard, et grâce à notre ami Georges Rouault, la peinture moderne, Cézanne et ses grands successeurs : Rouault lui-même d'abord. Et puis Renoir, Degas, Seurat, Henri Rousseau, Mattisse, Van Gogh, Utrillo, Severini, Picasso, Marc Chagall, pour ne nommer que les plus aimés dans ces fastes de la peinture. Mais je ne veux pas anticiper davantage.

Nos premiers amis :

Ernest Psichari

Jacques était venu à moi avec d'autres richesses encore que sa grande culture. Il avait alors déjà deux très grands amis dont les noms seront toujours chers aux Français. L'un était un jeune homme de l'âge de Jacques, l'autre était leur aîné de huit ou dix ans. Ils sont l'un et l'autre morts pour la France, pour son honneur et pour sa liberté, en 1914. Ernest Psichari est tombé le 22 août à Rossignol, en Belgique. Et Charles Péguy a été tué le 5 septembre sur le champ de bataille de la Marne, à la veille de notre miraculeuse et apparemment inutile victoire.

Un jour, donc, Jacques me fit connaître Ernest Psichari. Ils avaient étudié ensemble au Lycée Henri IV, où Jacques l'avait découvert et présenté à sa mère et à sa sœur comme une grande merveille. Des liens d'amitié se nouèrent entre leurs familles. Il n'est peut-être pas inutile, pour l'intelligence de ce qui va suivre, de dire quelques mots de celles-ci.

Par sa mère Jacques Maritain est le petit-fils de Jules Favre ; Psichari était par sa mère le petit-fils d'Ernest Renan. Les Renan et les Favre ont été au XIXe siècle parmi les plus représentatives des grandes familles intellectuelles et politiques de la France libérale et républicaine.

Ce qui dominait dans les traditions familiales d'Ernest c'étaient les jeux et les gloires de la pensée, et l'action directrice exercée sur les esprits par l'aristocratie universitaire.

Dans les traditions familiales de Jacques c'étaient l'amour idéaliste du peuple, l'esprit républicain, et les combats politiques pour la liberté.

Chez les Renan comme chez les Favre les lignées ancestrales étaient profondément ancrées dans le passé catholique de la France. Les Favre comptent même parmi les leurs, le premier prêtre de la Compagnie de Jésus, le Bienheureux Pierre Favre (ou Le Fèvre). Et toute

l'ascendance d'Ernest Renan était catholique
et bretonne. Mais Renan comme Jules Favre
avaient été l'un et l'autre touchés par le rationalisme du XIXe siècle, qu'avaient favorisé
à la fois les illusions nées d'un spiritualisme
« affranchi » de toute dogmatique religieuse et
l'abaissement de la pensée philosophique et
théologique là même où leur niveau aurait toujours dû être très élevé. Si grand que le XIXe
siècle ait été par ailleurs, les dettes qu'il a ac-
cumulées dans l'ordre de l'esprit étaient terriblement lourdes. Tout se paye inexorablement,
et les conséquences se déroulent jusqu'à la
dernière, de toutes les fautes commises contre
la vérité, — même si Dieu illumine les âmes
dans le secret, et les sauve une à une selon les
desseins de sa miséricorde.

L'histoire de l'évolution religieuse de Renan
est bien connue. Et tout le monde sait l'immense
influence de son œuvre, en particulier de sa
« Vie de Jésus », qui a détourné tant d'esprits
de la foi, bien qu'elle ait été aussi pour quelques uns l'occasion imprévue de la trouver,
parce que « tout concourt au bien de ceux qui
aiment Dieu. »

Jules Favre, démocrate militant, a joué au
début de la Troisième République un rôle très

marquant. Sous le règne de Napoléon III il
était au Parlement parmi le petit nombre des
députés de l'opposition. Successeur de Victor
Cousin à l'Académie française, orateur presti-
gieux, avocat des causes désespérées, grand pa-
triote auquel était réservée la douloureuse mission de défendre en 1870 les intérêts de la
France devant le vainqueur. Il avait été assez
éloquent et persuasif pour obtenir de Bismarck
que l'armée allemande entrant dans Paris après
le siège ne dépassât pas du moins la Place de la
Concorde, et n'occupât la Capitale que deux
jours seulement.

Il épousa en secondes noces une protestante
convaincue, et se rallia lui-même vers la fin de
sa vie au protestantisme libéral. Sa fille Geneviève, née du premier mariage, et d'une mère
ardemment catholique pour qui la vie fut tragique, le suivit par dévotion filiale, et affirma
dès lors son opposition au catholicisme. Et c'est
pourquoi Jacques, bien que son père fût catholique, avait été baptisé par un pasteur protes-
tant.

A mesure que je devais mieux connaître la
mère de Jacques, je devais admirer en elle une
fidélité religieuse à l'idéal ardent qui animait
sous l'Empire l'opposition républicaine, un in-
domptable esprit de liberté, un espoir passionné

dans l'avenir spirituel de l'humanité, une hardiesse à défier les opinions du monde et une
fermeté de roc qui ne se sont pas démenties avec
les années, mais que la jeunesse renouvelée de
la ferveur du grand âge a éclairées de douceur.
Le père de Jacques était, paraît-il, d'un tout
autre caractère. Il avait été secrétaire de Jules
Favre. Il était avocat, avait été bâtonnier du
barreau de Mâcon, il aimait la Bourgogne, la
vie un peu lente, érudite et savoureuse qu'on y
menait, et s'étonnait que son fils fût philosophe.
Il était fervent de Lamartine et des études la-
martiniennes ; sa maison de campagne était au
village de Bussières, dans le cimetière duquel
se trouve la tombe de Jocelyn. Lui-même il repose dans ce cimetière de campagne. Il est mort
quelque temps avant notre mariage.

Ernest Psichari, dont le père était d'origine
grecque, avait été, lui, baptisé dans le rite grec ;
concession que l'on faisait ainsi à la grand'mère
orthodoxe et profondément croyante. Mais l'ini-
tiation religieuse d'Ernest en resta là ; et il
grandit au sein d'une famille vouée tout entière
au culte de Renan, — de l'écrivain glorieux
comme de l'homme bon et profondément attaché à sa femme et à sa fille, — Noémie, mère
d'Ernest.

Les perspectives familiales sont naturellement tout autres, lorsqu'il s'agit d'un homme célèbre, que celles du monde extérieur, peu instruit des circonstances et des intentions, et qui juge sur les actes publics, sinon sur les apparences, — et sur la pensée exprimée, avec les conséquences qu'elle se trouve entraîner soit logiquement soit en raisons de causes accidentelles.

Il y avait beaucoup de préjugés, il n'y avait pas de sectarisme dans la famille d'Ernest. Sa mère, femme d'une admirable noblesse d'âme, avait reçu une éducation protestante. Elle se souvenait de la gloire et de la sérénité du vieux Renan, elle n'avait pas vu le jeune Renan se débattre au milieu des difficultés théologiques et scripturaires, et prendre, peut-être à contre-cœur, les décisions que sa conscience troublée et sa sœur Henriette lui inspiraient. Elle ne pouvait savoir que Renan, si brillant que fût son esprit, et si grand que fût son talent, n'avait eu ni en théologie ni dans la science de l'Ecriture des connaissances assez profondes, assez étendues, assez éprouvées, pour donner plus qu'une apparence spécieuse aux doutes et aux négations qui provenaient chez lui, en réalité, d'une philosophie à la fois rationaliste et rêveuse. Elle ne pouvait le savoir ! Et lui probablement ne s'en était pas douté non plus. Là

sans doute est son excuse, là est la cause de la
sécurité de conscience qui régnait chez les siens.
Cette famille, dont une sorte d'hégélianisme
diffus semblait créer l'atmosphère, était alors,
comme beaucoup d'autres en France, victime
des illusions du positivisme et de l'indifférence
philosophique qui affaiblissaient l'intelligence
des meilleurs, et qui avaient rendu si débile, au
temps de la jeunesse de Renan, l'enseignement
distribué dans les séminaires. C'est beaucoup
plus tard que l'exégèse catholique devait devenir cette science profonde et sûre qu'on ad-
mire dans les travaux d'un Père Lagrange, d'un
Père de Grandmaison, d'un Père Lebreton,
pour ne citer que les plus connus parmi les exé-
gètes français. Un brillant renouveau religieux
s'était produit en France au temps de Lacor-
daire, d'Ozanam, de Montalembert et de Dom
Guéranger. Pourtant tout le long du XVIIIe
siècle et du XIXe siècle c'est avant tout par
l'humble foi d'un grand nombre de saints et
d'âmes inconnues que la religion catholique et
la sagesse mystique avaient poursuivi leur vie
la plus féconde ; il ne faut pas oublier que le
XIXe siècle a donné à la France le saint Curé
d'Ars, sainte Bernadette de Lourdes, sainte
Thérèse de l'Enfant Jésus. Il reste que c'est
seulement sous l'action du Pape Léon XIII, et

à la fin du dernier siècle, que le catholicisme commença à retrouver l'éclat de son enseignement doctrinal.

Ce qu'Ernest Psichari trouva donc dans son milieu familial c'était « une recherche morale extrêmement large et élevée, mais étrangère à toute certitude métaphysique, un propos marqué d'ignorer les conflits créés par les oppositions de principes intellectuels. On n'y luttait pas contre le christianisme, on y était intimement persuadé de l'avoir assimilé et dépassé. »[1] Ernest vivait heureux dans l'atmosphère de ce monde élégant et libéral, se passionnait pour les idées, se plaisait aux controverses, étudiait la littérature, écrivait des poèmes symbolistes, et était follement amoureux de la sœur de Jacques. Or dans cet amour se noua toute sa destinée.

La sœur de Jacques était lorsque je l'ai connue une jeune fille vive et brillante, aux grands yeux bruns, aux cheveux châtains d'une longueur extraordinaire et qu'elle coiffait en un très haut chignon. Avec ses allures de petite marquise, son petit visage si pareil aux vierges peintes du XVe siècle français, elle était extrêmement séduisante. Ernest aussi était beau, débordant d'enthousiasme, de vie et d'espoir.

---

1. Jacques Maritain. *Antimoderne.*

Mais il n'avait que dix-huit ans alors qu'elle en avait vingt-cinq, et elle ne voulut pas prendre au sérieux l'amour de cet adolescent. Elle se maria bientôt, et le désespoir qu'en éprouva Ernest Psichari nous révéla à tous la profondeur de sa passion et la capacité de son cœur.

Par deux fois il attenta à sa vie, et fut sauvé. Il chercha alors l'oubli dans tous les excès des sens. Mais « sans conviction », comme il le dira lui-même dans *Le Voyage du Centurion*. « Maxence errait sans conviction dans les jardins empoisonnés du vice, poursuivi par d'obscurs remords, troublé devant la malignité du mensonge, chargé de l'affreuse dérision d'une vie engagée dans le désordre des pensées et des sentiments. » Un cœur médiocre s'y serait définitivement enlisé et perdu. Lui, ayant atteint les limites du désespoir, merveilleusement fidèle à son très pur amour, secoue toute cette fange, et se sauve lui-même en cherchant et trouvant une école de discipline — l'armée. Il devance l'appel et s'engage pour le régiment, — première conversion dont aucun de nous ne pouvait prévoir alors les étonnants développements. Il faudra, pour en voir l'ultime fruit spirituel, attendre dix ans encore. « Pour le moment, afin de ne pas périr de misère spirituelle, le petit-fils de Renan se fit soldat de

deuxième classe. Je tiens de lui, a dit Jacques
Maritain,[1] que la première fois qu'il se trouva
à la caserne, dans cette activité réglée d'hommes
dont l'un dit à l'autre : va-t-en là, et il s'en va ;
viens ici, et il vient ; fais ceci, et il le fait, il avait
senti dans une intuition infaillible, qui lui di-
latait lumineusement le cœur, qu'il était chez
lui, là où il devait être, là où il devait rester,
là où il sauverait son dépôt ». Etrange aboutis-
sement — et qui fit alors une espèce de scandale
— de l'antimilitarisme socialiste, de l'anarchisme
intellectuel, et du fameux « dilettantisme re-
nanien » qu'Ernest Psichari avait cru être les
seules vérités de son temps.

Je ne veux pas anticiper davantage. Bien qu'il
me soit impossible de ne pas anticiper du tout.
C'est que pour écrire ces pages je ne feuillette
pas un « journal ». Je laisse aller la mémoire
en amont et en aval du fleuve Temps. Et je
recueille ce que m'apporte chaque vague qui
déferle sur mon rivage. Je reviendrai plus tard
sur l'histoire d'Ernest Psichari, si je continue
à écrire ces mémoires. Cette histoire, Ernest devait la raconter lui-même dans *L'Appel des
Armes, Le Voyage du Centurion* et *Les Voix
qui crient dans le Désert,* publié après sa mort.
Jacques Maritain et Henri Massis parleront de

1. *Antimoderne.*

leur ami, l'un dans un chapitre d'*Antimoderne,*
l'autre dans *Notre ami Psichari*. Il existe aussi
une excellente biographie d'Ernest Psichari par
Mlle Amélie Goichon, et un livre de précieux
souvenirs écrit par sa sœur aînée ; un jeune
américain, Mr. Michel Wallace Fowlie, ardent
ami de la France et lui-même poète français, a
consacré à Ernest Psichari des pages émouvantes
et pénétrantes.

A l'époque où je fis sa connaissance, Ernest
Psichari était encore heureux et insouciant ; il
croyait dans le bonheur de la vie. Sa bonté, sa
générosité étaient frappantes. Il était franc,
spontané ; mélancolique et gai tour à tour selon
le soleil et la brume de son ascendance grecque
et bretonne. D'une loyauté chevaleresque il
ignorait toute vanité et tout respect humain.
Son amitié pour Jacques était touchante. Dès
le collège il disait : « Jacques et moi ne faisons
qu'un. Ce qu'il pense je le pense, ce qu'il fait je
le fais, ce qu'il sent je le sens. »

Charles Péguy

Avec Jacques, Ernest Psichari s'enthousiasmait pour Charles Péguy, dont nous fréquen-
tions ensemble l'étroite « Boutique » des *Ca-*

hiers de la Quinzaine, située rue de la Sorbonne, tout juste en face de cette Sorbonne des « historicistes » que Péguy regardait d'un œil réprobateur et sombre, et considérait comme un nid de stérile pédantisme. Et j'apprenais en l'écoutant les secrets de cette Montagne qui de loin m'avait paru un bloc uni de science et de sagesse, et qui de près, révélait ses failles et ses précipices.

Péguy était notre aîné à tous. Je n'osais presque pas parler en sa présence. Il m'impressionnait avec sa barbe sévère, ses binocles, son éternelle pèlerine noire qu'il portait par tous les temps et en toute occasion, et dans laquelle Pierre Laurens l'a peint en un très beau et fidèle portrait.

Charles Péguy est le premier auteur français vivant que je connus, — Jacques et Ernest Psichari n'avaient encore rien publié. Il ne pouvait y avoir à cet égard plus beau commencement, on ne pouvait rêver Français plus typique, ni auteur plus savoureux, plus direct, plus expressif de son temps en ce qu'il avait de meilleur, — des exigences de son temps, des aspirations de son temps vers des réalités humaines et spirituelles trop longuement oubliées ou laissées dans l'ombre. Tout cela affluait en lui et il l'exprimait dans d'admirables monologues, ou dans ces écrits d'une suite ininterrompue qui ont leurs reprises, comme un fleuve a ses remous, mais qui ont aussi du fleuve l'abondance, la persévérance dans une même direction, la perpétuelle insistance. On peut encore comparer le style de Péguy à une tapisserie où n'existe pas le plus petit espace qui ne soit recouvert de laine ou de soie. Cela fait un tout compact où seules les couleurs dessinent des différences. *La Tapisserie d'Eve* est ainsi le titre le meilleur qu'il ait pu donner à ce long récit composé d'innombrables quatrains, et qui sont chacun comme un point de tapisserie.

Je voyais aussi Péguy chez la mère de Jacques, dont il est resté jusqu'à la mort le grand ami, et qui garde pour lui un culte d'une fidélité incomparable. Il considérait Jacques comme un frère plus jeune qui l'aiderait et lui succéderait plus tard, et qui poursuivrait son œuvre aux « Cahiers de la Quinzaine ».

Dès lors Jacques l'assistait, l'accompagnait à Suresnes chez l'imprimeur des *Cahiers*, y apprenait l'art de la typographie, y prenait goût pour les beaux caractères et les grands papiers.

Quand nous allions avec Péguy de la rue de la Sorbonne à la maison où habitait, où habite toujours la mère de Jacques, il nous disait ses difficultés, matérielles ou morales ; et nous pre-

nions une grande part à l'angoisse qui l'étrei-
gnait, au milieu du travail acharné dont il savait l'importance, — « j'écris pour dans vingt
ans » aimait-il à dire, — devant la perspective de
ne pouvoir payer ses traites à la fin du mois, et
devant les démarches sans nombre qu'il lui fallait faire pour trouver de l'argent afin d'éviter
une catastrophe. Cela aussi m'attachait à lui.
Il était marié et déjà père de deux enfants. Il
avait aussi dans sa barque la mère et le frère de
sa femme. Il se sentait particulièrement respon-
sable à leur égard, parce qu'il avait mis dans
une malheureuse entreprise de librairie socialiste, et puis dans celle des « Cahiers de la
Quinzaine », toute la dot de sa femme. L'angoisse de la pauvreté et le spectre de la misère
lui ont fait écrire d'admirables pages sur l'argent. D'une manière générale tout ce qu'il a
écrit il l'a puisé dans son expérience perpétuellement ruminée, et dans sa vie intérieure. De
souche paysanne — sa mère, femme fière et forte,
était rempailleuse de chaises à Orléans — il connaissait bien la terre de France ; sans cesse aux
prises avec des difficultés d'argent il connaissait
bien la pauvreté ; enraciné par les siens dans
une terre chrétienne il connaissait bien les exigences spirituelles de l'âme, et de l'âme française.

Pressé d'agir, avec le pressentiment peut-être du peu de temps qu'il lui restait à vivre — il est mort à l'âge de quarante ans — il avait quitté l'Ecole Normale avant l'Agrégation, et fondé la « Librairie Socialiste » de la rue Cujas, avec l'aide de quelques uns de ses aînés, notamment de Lucien Herr, Bibliothécaire de l'Ecole Normale, dont le prestige sur la jeunesse socialiste était très grand. Mais bientôt il dut se séparer de ses associés, ou plutôt il fut éliminé de l'œuvre qu'il avait fondée parce qu'on le regardait comme un chimérique, et qu'on avait décidé d'agir contre lui « pour son propre bien ». Il n'oublia jamais cette blessure.

Péguy ne pouvait s'entendre avec des doctrinaires quels qu'ils fussent. Il ne le savait peut-être pas à ce moment. Il ne savait encore de quel esprit il était, d'où il venait, où il allait. Tous nous l'ignorions alors. Mais cet esprit le remplissait du désir de la vérité, de la justice, de la liberté intérieure, alors qu'il se croyait seulement un socialiste comme Jaurès, (qu'il devait bientôt détester autant qu'il l'avait aimé) ; ou comme Georges Sorel, son ami, un peu son maître, et l'un des plus assidus visiteurs de sa boutique où souvent il pontifiait, bavardant d'une manière aussi abondante que spirituelle, pendant que Péguy le couvrait de son silence pro-

ERNEST PSICHARI

tecteur, et que le fidèle Bourgeois veillait au copie-lettres et aux fiches des abonnés. Sorel et Péguy étaient très différents, mais ils étaient rapprochés par le même désir de réalisme philosophique, une même aspiration vers un socialisme héroïque, et une commune aversion pour les conformistes de la Sorbonne.

Péguy se brouilla donc avec Lucien Herr, et un peu plus tard avec Jaurès, à qui il reprochait d'oublier cette recherche de la pure justice qui les avait unis dans l'Affaire Dreyfus, pour se perdre dans les petitesses de l'opportunisme politique. Péguy avait été un ardent défenseur du Capitaine Dreyfus. Il avait alors noué des amitiés précieuses parmi les Juifs ; celles de Bernard Lazare et de Mlle Blanche Raphael devaient jouer un grand rôle dans sa vie. Il a écrit des pages admirables sur Bernard Lazare, sur l'inquiétude juive, sur la politique et la mystique juives. Et il pouvait dire :

« Je connais bien ce peuple. Il n'a pas sur la peau un coin qui ne soit douloureux, où il n'y ait un ancien bleu, une ancienne contusion, une douleur sourde, la mémoire d'une douleur sourde, une cicatrice, une blessure, une meurtrissure d'Orient ou d'Occident. Ils ont les leurs, et toutes celles des autres. Par exemple on a meurtri *comme Français* tous ceux de l'Alsace et de la Lorraine annexées. »[1] Aujourd'hui on destitue *comme Juifs* ceux dont on a pendant les deux guerres accepté le sang comme français.

Péguy était brouillé avant tout avec la Sorbonne qu'il regardait comme la citadelle des erreurs du monde moderne. Il lui reprochait de réduire toute vue du réel à l'histoire, et l'histoire elle-même à une poussière de faits artificiellement rassemblés et qui laissaient échapper la substance du passé. Il l'accusait de vouloir éteindre tout enthousiasme et toute foi et toute fidélité sous le poids des routines et des techniques. Mais il n'est que de lire Péguy lui-même. A vrai dire le conflit entre la Boutique de Péguy et la Sorbonne a été un des plus importants événements spirituels de la France avant la première guerre mondiale.

C'était une grande faveur que d'avoir eu pour nos jeunes années un compagnon de ce caractère. Péguy nous faisait part de sa sagesse, et de son expérience. Mais il en agissait si simplement avec nous, il nous tenait si proches de lui, que jamais, en ce temps-là, il ne nous a fait sentir qu'il était notre aîné. Peut-être parce que nous lui étions si dociles. Nous le regardions comme un camarade merveilleux et nous l'aimions de tout notre cœur.

---

1. Cahiers de la Quinzaine XI, 12.

Plus tard, lorsque la forme de notre propre destinée se dessina d'une manière précise, lorsque, à notre tour, nous eûmes à choisir notre voie, comme à prendre de graves responsabilités, des conflits douloureux (dont je parlerai plus loin) se sont élevés entre Péguy et nous ; et nous apprîmes à connaître sa facilité à être injuste, bien naturelle à un tempérament comme le sien, et son exclusivité jalouse à l'égard de ses amis. Mais ce temps devait tarder encore. Nous vivions la lune de miel de notre amitié avec Péguy.

Revenons à la Sorbonne

L'expérience d'un autre, si grand soit-il, ne suffit tout à fait à personne. Chacun doit recommencer pour son propre compte l'examen des questions essentielles — de celles du moins qui sont vitales pour lui. Nous poursuivions donc notre enquête, notre quête de vérité.

Péguy était déjà dans toute la plénitude de son action, qui devait si vite, hélas, prendre fin par le fait de la guerre, — alors que pour nous les principes mêmes de toute action et de toute conviction étaient encore le principal objet de notre recherche.

Par une erreur de définition j'attribuais aux sciences de la nature la connaissance de ces principes. Nous avions un culte immense pour les savants ; à cette époque la France en était extrêmement riche. Les Curie avaient découvert le radium en 1898, et leur gloire était incontestée.

Mais je dus apprendre que les savants tiennent les suprêmes principes de l'intelligence en médiocre estime ; en tout cas ils ne paraissent pas s'en soucier beaucoup. Les valeurs purement spéculatives les intéressent peu ; les mathématiques sont leur plus haut ciel intelligible. Une passion magnifique les attache à la beauté de la structure de l'univers physique, comme elle attache les peintres à la beauté d'un paysage ; les lie à leur laboratoire comme les peintres à leur atelier. Il y a, me semble-t-il, entre les très grands savants et les artistes une similitude de dons en ce sens que la beauté des lois de l'univers qu'ils découvrent les enthousiasme plus encore que leur vérité. La vérité cependant a plus d'envergure ; elle attire par la beauté des choses invisibles et immatérielles qui ne sont pas l'objet des sciences. Ce ciel spirituel, ces mystères de la métaphysique n'arrêtent pas

l'œil des savants, n'inquiètent pas leur intelligence. Il faut admettre cette diversité des dons.

Les savants, quand ils ne philosophent pas,
s'en tiennent en général au simple bon sens empirique. Mais peut-on être homme et ne philosopher en aucune manière ? A la Sorbonne telle
que nous l'avons connue, les savants pour autant
qu'ils philosophaient étaient en général parti-
sans de théories philosophiques telles que le
mécanicisme et l'épiphénoménisme, le déterminisme absolu, le monisme évolutioniste, doctrines qui nient la réalité de l'esprit et l'objectivité de tout savoir dépassant la connaissance
des phénomènes sensibles.

Toutes ces théories composaient une sorte de
système plus ou moins avoué que Jacques devait
quelques années plus tard, dans un de ses premiers livres, désigner par le nom de *Scientisme*.
« Le scientisme, disait-il, voit dans la Mathé-
matique l'instrument universel et le régulateur
souverain du savoir... Il remplace l'intelligence
par la perfection toute matérielle des procédés
techniques, il substitue à l'intelligibilité la simple possibilité d'être recomposé ou reconstruit
à l'aide d'éléments mathématiques ou de repré-
sentations spatiales. Ainsi le scientisme impose

à l'intelligence la loi même du matérialisme : cela seul est intelligible qui est vérifiable matériellement. De là vient que le scientisme est représenté par le mécanicisme universel. Que tout se réduise à l'étendue et au mouvement, et qu'il n'y ait pas d'autres lois que les fonctions mathématiques, ce n'était même pas aux yeux de nos savants une thèse à démontrer, c'était l'exigence même de la pensée. »[1]

Ils étaient bien obligés d'aboutir à quelque exigence de la pensée, même en méconnaissant celle-ci ; et ils étaient bien obligés de se référer sans cesse à l'intelligence, puisqu'il est impossible d'énoncer le moindre fait sans abstraire et généraliser ; et d'affirmer ou nier la moindre chose sans une confiance implicite dans les procédés de l'intelligence et dans les principes de son activité.

C'est ainsi que les savants exposent tout bonnement ce qui est de leur ressort avec une référence implicite au sens commun. Et c'est la meilleure attitude philosophique qu'ils puissent avoir, et le plus efficace moyen d'enseignement.

Je me demandais comment les hommes de science remarquables dont je suivais les cours,

---

1. Jacques Maritain. *Antimoderne.*

ou ceux dont je lisais les livres, pouvaient accepter de demeurer dans un état si confus et si vague de l'esprit sans en souffrir, alors que toute réalité intelligible s'évanouissait comme un mirage quand on pensait s'en approcher et la saisir, et que les « faits » sacro-saints eux-mêmes se résolvaient dans la poussière de constatations purement empiriques, parce que ce qui était généralement nié par la philosophie régnante c'était l'objectivité même de nos connaissances, notre capacité à saisir le réel.

Cela créait à l'intelligence une atmosphère singulièrement raréfiée, un malaise infini. Nous voguions dans les eaux de l'observation et de l'expérience comme des poissons dans les mers profondes, sans jamais voir le soleil dont nous recevions les rayons très atténués. Il fallait accéder aux cieux des sciences sans nul secours d'aucune évidence de l'esprit. Jacques dessinait des bonshommes grimaçants qui par un effort désorbité s'élevaient dans les airs en tirant sur leurs propres cheveux. Il a toujours su allier la gentillesse et le sourire aux sentiments les plus graves. Moi je perdais pied, et trop faible pour lutter contre tous ces géants de la science et de la philosophie, et pour défendre moi-même la droiture de mes plus profondes intuitions, je m'enfonçais dans la tristesse.

Félix Le Dantec

Mais quoi ! il fallait bien pour un temps au moins laisser de côté ces problèmes métaphysiques. L'enseignement scientifique qui nous était donné était, dans l'ordre strict de la science positive, un très haut enseignement. Et si, plutôt que vers les sciences naturelles, nous nous étions dirigés vers les sciences physico-mathématiques, sans doute aurions-nous été fascinés par la magnificence des découvertes de tant de grands hommes de science, et cela aurait masqué pour longtemps peut-être notre faim de savoir métaphysique. Il aurait été merveilleux par exemple d'écouter les leçons d'un Paul Appell, ou de Marie et Pierre Curie, savants de génie et travailleurs héroïques, qui avaient ouvert les voies à une science et à une thérapeutique nouvelles. A la faculté des sciences naturelles, moins riche en génies, Jacques et moi suivions avec un intérêt particulier les cours de Félix Le Dantec, le plus attachant, le plus brillant de nos professeurs.

Il avait remarqué l'attention avec laquelle nous l'écoutions, et s'intéressant à des élèves aussi studieux il résolut de nous connaître davantage. Un jour où Jacques et moi attendions le tramway au coin de la rue Soufflot et du bou-

levard Saint-Michel il nous aborda et se mit à
nous parler comme à de vieux amis ; et il nous
invita à aller le voir chez lui, ce que nous fîmes
par la suite assez souvent.

Nous avions avec lui de longues conversations, et il nous exposait sa philosophie qui était
le matérialisme. Il nous disait, et il disait à qui
voulait l'entendre, qu'il lui était impossible de
ne pas admettre la vérité du matérialisme, mais
que du reste le matérialisme est une foi aussi
indémontrable que le credo des chrétiens. Et
ceci scandalisait ses confrères moins disposés
que lui à avouer ce point de fait.

J'ignorais le credo des chrétiens, et je ne voulais pas non plus de cette foi matérialiste, mais
je me disais qu'il faudrait bien sans doute y
venir un jour ou l'autre ; que personne ne nous
offrait une doctrine plus cohérente, et que puisque toutes les autres aboutissaient tout au plus
à un « que sais-je ? » elles n'étaient pas moins
décevantes. Et la tristesse me pénétrait, le goût
amer du vide de l'âme devant laquelle toutes les
lumières s'éteignent peu à peu.

Le Dantec cependant, plein d'enthousiasme,
nous promettait un brillant avenir scientifique
si nous voulions travailler dans le sens qu'il nous
conseillait. Nous devions rechercher la synthèse
de la matière vivante, et démontrer en la réali-

sant que la vie n'est rien d'autre qu'une com-
binaison chimique particulière. Il aimait ce
genre de simplifications ; pour lui l'intelligence
n'était « qu'une matière molle qui vit à 38 degrés », et la conscience — « un épiphénomène. »

Mais ces belles perspectives ne nous enchan-
taient pas. A quoi bon la synthèse de la matière
vivante, à quoi bon ce pouvoir sur l'univers
physique, si la raison même de la vie et de l'existence, si tout l'univers moral devaient rester des
énigmes indéchiffrables ?

Le Dantec professait aussi un athéisme qu'il
affirmait être en lui insurmontable. Il nous disait que jamais il n'avait été capable de foi
religieuse, même dans son enfance. Il avait suivi
les leçons de catéchisme avec application, il
avait toujours été premier en instruction religieuse, mais jamais, jamais, il n'avait su ce que
c'était que croire en Dieu.

Il est rare de rencontrer un athée aussi convaincu, aussi absolu, aussi calme. Depuis plusieurs années déjà je déclinais vers l'athéisme ;
au vrai je croyais ne plus croire en Dieu, mais
au prix de quelles souffrances, de quelle désolation de tout mon être, de quel désarroi ! C'é-
tait pour Le Dantec un sujet d'étonnement,
mais pas d'antipathie, au contraire. Il semblait
qu'il n'eût jamais rencontré un tel trouble, pour

de telles raisons ! Il s'était beaucoup attaché à moi, et je crus devoir lui dire mes fiançailles encore secrètes avec Jacques. Nos entretiens devinrent de plus en plus rares par ma faute, et cessèrent bientôt complètement. Je les regrettai beaucoup par la suite. Cet homme bon, généreux, loyal, méritait une entière confiance ; par maladresse je mettais fin à une précieuse amitié, mais j'étais trop jeune pour penser alors à tout cela, et j'agissais avec les gestes brusques et maladroits de ceux qui n'ont encore que peu d'expérience humaine.

Quelques années plus tard Le Dantec épousa une amie d'Elisabeth Leseur, de cette Elisabeth Leseur qui a laissé un si remarquable journal de son itinéraire spirituel vers la foi, et dont le mari, d'abord incroyant, est maintenant religieux dominicain. L'amitié d'Elisabeth Leseur a-t-elle réussi à attirer l'attention de Le Dantec sur une autre foi que la foi matérialiste ? et à délier tant soit peu les liens étroits de son athéisme ? Certains indices nous l'ont laissé espérer.

Du côté des philosophes

La joie de la connaissance que procurent les sciences naturelles est nécessairement limitée

par le nombre extrêmement restreint des principes métaphysiques auxquels elles se ratta-
chent, et par les limites de leur objet formel.
(C'est ainsi du moins que je m'explique aujourd'hui le peu de joie que j'y trouvai.)

Mais là où l'objectivité même de la connaissance est niée d'une manière ou d'une autre,
toute joie de l'esprit disparaît. L'étude des doctrines considérées non comme des propositions
ou des approximations de la vérité, mais comme
des œuvres d'art et d'imagination, avec toutefois moins de référence que l'art à la réalité, se
réduit à un défilé kaléidoscopique où la forme
survenante bouscule et démolit celle que l'on
vient d'apercevoir ; tout change à chaque instant, pour le ravissement des yeux peut-être,
mais pour la continuelle déception de l'intelligence qui ne peut se fixer à aucune de ces formes dévoratrices les unes des autres.

Les philosophes dont nous suivions les cours
à la Faculté des Lettres avaient personnellement
beaucoup de mérites, leur érudition était ample
et profonde, et ils avaient une haute conscience
des exigences de la recherche scientifique. Mais
ils s'appliquaient à l'analyse sans fin du détail
des causes historiques comme à leur tâche essentielle, réduisant presque entièrement à cela
cette étude de la sagesse dont leur nom et leur

profession de philosophes leur faisaient un devoir. Toute leur inclination était vers l'érudition historique, ou vers les sciences mathématiques. Chez aucun d'eux nous ne trouvions
établie une théorie positive de la connaissance ;
les conclusions qu'ils croyaient pouvoir pro-
visoirement formuler sous l'influence de la tradition rationaliste et idéaliste à laquelle ils res-
taient attachés, tombaient en poussière sous
l'influence d'un positivisme et d'un empirisme
à la fois dogmatiques et inefficaces.

Au temps déjà où il suivait au Lycée Henri
IV le cours de philosophie de M. Dereux (on
l'appelait Dereuf parce qu'il ajoutait toujours
un f à la fin des mots) le jeune Jacques de 16 ans
se roulait de désespoir sur le tapis de sa chambre, parce qu'à toutes les questions — *il n'y avait
pas de réponse.* Même déception à la Sorbonne.
Philosophes, nos maîtres à vrai dire désespé-
raient de la philosophie.

L'histoire devenait pour eux une sorte de
science reine, qui héritait, sans pouvoir réellement les porter, de tous les droits de la métaphysique répudiée ; et ils la faisaient d'autant
plus arrogante que sans le vouloir ils la déna-
turaient elle-même en prétendant l'ériger en la
science exacte par excellence, et obtenir d'elle
la suprême explication de la vie de la pensée,

grâce à une recherche des sources qui fuyait sans
fin de cause accidentelle en cause accidentelle.

Par une curieuse contradiction vécue ils voulaient tout *vérifier* par des procédés d'érudition
matérielle et de contrôle positif, et ils désespé-
raient de la *vérité,* dont le nom même leur
déplaisait, et ne devait être prononcé qu'avec
les guillemets d'un sourire désabusé. La tragédie dont ils étaient victimes était qu'un haut
détachement intellectuel, une profonde honnê-
teté de l'esprit se tournaient pour eux en méfiance à l'égard de la simplicité des certitudes
supérieures, qu'ils tenaient pour une simplifi-
cation naïve due aux idoles du langage. La seule
leçon pratique qu'on pouvait recevoir en dé-
finitive de leur enseignement consciencieux et
désintéressé était une leçon de relativisme intégral, de scepticisme intellectuel ; et si l'on était
logique, de nihilisme moral. Les jeunes gens
sortaient de leurs études philosophiques en garçons instruits et intelligents, sans confiance dans
les idées, sinon comme des instruments de rhétorique, et parfaitement désarmés pour les
luttes de l'esprit et pour les conflits du monde.
C'est alors sans doute que nous commencions
invisiblement à perdre les batailles de l'humanité et de la France contre la nouvelle barbarie
parée pour quelque temps encore des prestiges

d'une culture déjà frelatée, déjà hypocrite, déjà prête à l'adoration de la force.

Parmi les professeurs dont Jacques suivait les cours un seul, Emile Durkheim, était animé d'une conviction ardente, mais c'était pour la cause de la sociologie, ou plutôt du sociologisme.

Certains professeurs étaient croyants, mais rien ne paraissait de leur foi dans leur enseignement. C'était le cas de Victor Delbos, éminent historien de la philosophie, esprit probe et profond, mais dont l'enseignement en grisaille laissait l'impression d'une méticuleuse prospection de belles ruines. C'est plus tard seulement que Jacques put entrevoir quelque chose des pensées intimes de Delbos, au cours d'une conversation où celui-ci lui dit qu'il avait été terriblement tenté par Hegel, et que c'est grâce à la critique kantienne qu'il avait échappé aux prestiges du panthéisme et pu réserver une place intacte à sa foi religieuse au milieu des systèmes philosophiques dont il passait son temps à déchiffrer l'histoire.

Il y avait aussi M. Edet, latiniste émérite dont les corrections sur les copies de thème latin étaient des chefs d'œuvre que les élèves se disputaient.

Gabriel Séailles, plus humaniste et artiste que philosophe, faisait partie des « intellectuels de gauche ».

Brochard, incomparable connaisseur de la philosophie grecque, était un rationaliste éloquent et hautain qui, reléguant Plotin dans le « mysticisme oriental », le regardait comme indigne du nom de grec. Il était devenu aveugle et il continuait de faire d'admirables leçons où il citait par cœur les textes des philosophes grecs. Mais les étudiants impitoyables profitaient de sa cécité pour s'esquiver du cours. Un jour Jacques y était resté seul avec un autre étudiant. Brochard cependant s'adressait à la classe comme à la foule qu'il croyait l'écouter, et qu'il voulait animer de son enthousiasme, et qu'il provoquait à répondre à ses questions : « Eh bien, Messieurs, que pensez-vous de cette idée des Stoïciens ? » Et comme les deux auditeurs pétrifiés par le tragique de la scène tardaient à répondre : — « Mais répondez-moi donc, êtes-vous tous devenus muets ? »

Enfin le professeur pour lequel Jacques a gardé le plus de gratitude, (bien que ses idées fussent dès lors fort éloignées des siennes), était Lucien Lévy-Bruhl, qui enseignait l'histoire de la philosophie moderne avec une tristesse et une froideur qui frappaient étrangement les étudiants, mais dont la bonté et le dévouement étaient incomparables. Je crois qu'il éprouvait une affection un peu étonnée pour l'étudiant ardent, assoiffé de vérité et ennemi de tout conformisme, et dont le socialisme lyrique n'était pas pour déplaire à un fidèle ami de Jaurès. Lévy-Bruhl avait à cette époque la même confiance ardente que Durkheim en la Sociologie, mais ce n'est pas de cet enseignement qu'il était chargé à la Sorbonne. Ses travaux ethnologiques devaient l'amener peu à peu à des vues plus larges. Jacques l'a revu plusieurs fois, notamment ces dernières années, alors qu'ils travaillaient tous deux à organiser en France l'accueil aux réfugiés chassés de leur pays par la persécution nazie. Dans l'ordre philosophique lui-même, en ce qui concerne l'interprétation à donner de la « mentalité primitive », il a eu la joie d'obtenir, quelques mois avant la mort de Lévy-Bruhl, l'agrément de son ancien maître aux vues qu'il proposait. Le respect et l'affection qu'il éprouvait pour Lévy-Bruhl n'ont fait que se confirmer avec les années.

A l'époque dont je parle c'est seulement de Spinoza et de Nietzsche que nous venaient quelque allégresse et quelque bien-être de l'esprit. Je me rappelle que pendant plusieurs mois Jacques a été enivré de *l'Ethique* et de cette sagesse qui se croyait souverainement sage et souverainement libre en exhortant l'homme à aimer Dieu intellectuellement, sans demander d'être aimé en retour. C'est avec des thèmes spinozistes qu'il essayait — bien en vain — de réconforter Ernest Psichari dans la crise terrible par où passait celui-ci, à cause de son amour contrarié pour la sœur de Jacques. A d'autres amis qui voulaient se faire passer pour blasés et désabusés de tout, et qui professaient la nécessité d'accepter les compromis pour « arriver dans le monde », il prêchait ce qu'il appelait « l'arrivisme métaphysique », c'est-à-dire le refus de tout compromis, pour se réaliser dans l'absolu. Spinoza m'enthousiasmait par l'enchaînement rigoureux de ses preuves, par cette hardiesse à affirmer et à démontrer qui faisaient paraître à mes yeux la possibilité d'une autre philosophie que celle du relativisme de nos maîtres. Ce qui nous faisait chérir Nietzsche, c'est sa passion désespérée de cette vérité dont il s'acharnait à proclamer la mort, la puissance avec laquelle il balayait les préjugés de la médiocrité installée dans le vide, arrachait tous les masques et dévoilait le tragique de la vie.

Mais nous sentions bien que notre enthousiasme pour Spinoza n'était qu'un rêve exaltant de l'intelligence, une sorte d'opium métaphysique. La réalité échappait de toutes parts au système, l'*Ethique* était sans force devant le moindre cri d'un être humain vraiment atteint dans son cœur ; les consolations qu'elle offrait à un homme aux abois, et à qui elle demandait de se faire plus que Dieu (car Dieu lui-même, — nous devions le comprendre plus tard, — demande à être aimé en retour) semblaient l'effet d'une affectation dérisoire. Spinoza n'avait produit en nous aucune conviction réelle. Et c'est aussi une simple ivresse esthétique de l'esprit que nous recevions de Nietzsche. Le mépris des faibles et des pauvres, l'exaltation forcenée de l'orgueil et de la violence dansant sur le néant, tout ce qu'il fallait accepter si l'on voulait réellement croire en Nietzsche, n'était pas un pain dont nous puissions vraiment nous nourrir. Les joies que Spinoza et Nietzsche nous avaient un moment dispensées nous laissaient plus vides et plus désespérés.

Au Jardin des Plantes

Par un après-midi d'été nous nous promenions, Jacques et moi, au Jardin des Plantes, — nom pléonasmatique de lieux désuets et charmants, si chers aux Parisiens de la rive gauche.

On y trouve parmi beaucoup de vieux arbres un gigantesque Cèdre du Liban « rapporté par de Jussieu dans son chapeau », dit une pancarte ; un labyrinthe de tout repos ; un musée d'histoire naturelle ; de vieux laboratoires d'infortune, à la mode française ; des ours dans des fosses profondes ; des lions dans des cages ; des serpents dans des vitrines ; des éléphants dans des pagodes ; des otaries dans des bassins ; des amoureux sous les ombrages ; et partout des nourrices et des enfants.

Nous aimions y venir après les cours, lorsque de la Sorbonne je m'en retournais chez moi à pied ; et comme tous les promeneurs de ce jardin nous étions familiers avec les bêtes innocentes à qui l'on peut faire plaisir avec un peu de pain.

Mais ce jour-là nous passions sans regarder les ours, sans même entendre les phoques ; c'est que décidément, nous n'étions pas heureux, nous étions même très malheureux.

Nous venions de passer en revue ce que nous avaient apporté nos deux ou trois années d'études à la Sorbonne. Sans doute un bagage assez important de connaissances particulières, scientifiques et philosophiques. Mais ces connaissances étaient minées à leur base par le relativisme des savants, par le scepticisme des philosophes.

Les savants sont heureux qui ne raisonnent pas sur la raison, qui n'interrogent que le visible et le mesurable, et vont droit devant eux de découverte en découverte.

Nous n'étions pas non plus, avec nos vingt ans à peine, de ces tenants du scepticisme qui lancent leur « que sais-je ? » comme une fumée de cigarette, et trouvent d'ailleurs la vie excellente. Nous étions, avec toute notre génération, leurs victimes. En effet, bien que le scepticisme soit informulable, parce que toutes nos formulations sont affirmatives par quelque côté, même si elles expriment la philosophie du doute, — il n'en est pas moins agissant, et capable de désagréger la vie de l'âme.

Quoique tous mes souvenirs affluent en moi au fur et à mesure que je les évoque, et ressuscitent avec leurs fraîches couleurs de jadis, ici, je l'avoue, il ne m'est plus possible de revivre au même degré la profonde détresse de mon cœur défaillant de faim et de soif de la vérité.

Cette angoisse métaphysique pénétrant aux sources mêmes du désir de vivre, est capable de devenir un désespoir total, et d'aboutir au suicide. Je crois qu'en ces dernières et sombres années, en Autriche, en Allemagne, en Italie, en France, des milliers de suicides sont dûs à ce désespoir, plus encore qu'à l'excès des autres souffrances endurées dans le corps et dans l'âme.

Je ressentirais quelque chose d'analogue s'il arrivait que la France bien-aimée, en qui nous avons mis toute notre espérance en ce monde, devenait — mais non, ce peuple, cette jeunesse que nous avons connus ne le permettront pas — un pays barbare où la cruauté d'esprit et la grossièreté de cœur feraient la loi, où les valeurs évangéliques seraient tournées en dérision, où la liberté de l'esprit serait humiliée, où règneraient le plus dur utilitarisme, le faux réalisme, et le brutal instinct de domination. Alors il ne nous resterait plus qu'à supplier le Seigneur de nous retirer au plus tôt de ce monde, et à dire un *Nunc dimittis* de désespoir.

Je crois que des milliers de morts aujourd'hui sont dues à la déception totale de l'âme qui se croit trompée d'avoir eu foi en l'humanité, d'avoir cru à la force triomphante de la vérité et de la justice, de la bonté et de la pitié, de tout ce que nous savons être le bien.

C'est une angoisse de cette sorte que j'ai vécue alors. Mais elle a été un peu plus tard si miséricordieusement guérie qu'il m'est difficile,

par-dessus tant de douceur et de bonheur, de la
ressentir de nouveau dans toute son amertume.
Sans doute d'autres angoisses sont venues, d'autres douleurs, souvent immenses, mais cette dé-
tresse-là je ne l'ai plus jamais connue. Cependant je ne l'ai pas oubliée. On n'oublie pas les
portes de la mort.

Nous venions donc de nous dire ce jour-là
que si notre nature était assez malheureuse pour
ne posséder qu'une pseudo-intelligence capable de tout sauf du vrai, si, se jugeant elle-même,
elle devait s'humilier à ce point, nous ne pouvions ni penser ni agir dignement. Alors tout
devenait absurde, — et inacceptable — sans
même que nous sachions quelle chose en nous
se refusait ainsi à accepter.

— Nous ne pouvons vivre selon des préjugés,
bons ou mauvais, nous avons besoin d'en peser
la justice et la valeur — mais selon quelle mesure ? Où est la mesure de toutes choses ?

— Je veux savoir si d'être est un accident, un
bienfait ou un malheur ; je méprise la résigna-
tion et le renoncement de l'intelligence dont
nous avons tant d'exemples autour de nous.

Nous ne voulions pas non plus *vouloir* aveu-
glément ; cette « sublime » absurdité nous paraissait un monstre, et nous faisait horreur.

Ce qui nous a sauvés alors, ce qui a fait de

notre réel désespoir un désespoir encore condi-
tionnel, c'est justement notre souffrance. Cette
dignité à peine consciente de l'esprit a sauvé
notre esprit par la présence d'un élément irréductible à l'absurde où tout voulait nous conduire.

Déjà j'en étais venue à me croire athée ; je
ne me défendais plus contre l'athéisme, persua-
dée à la fin, ou plutôt dévastée par tant et tant
d'arguments que l'on donnait pour « scientifiques ». Et l'absence de Dieu dépeuplait l'univers.

— Si nous devons aussi renoncer à trouver
un sens quelconque au mot vérité, à la distinction du bien et du mal, du juste et de l'injuste,
il n'est plus possible de vivre humainement.

Je ne voulais pas d'une telle comédie. J'ac-
cepterais une vie douloureuse, mais non une
vie absurde. Jacques avait pensé longtemps
qu'il valait encore la peine de lutter pour les
pauvres, contre l'esclavage du « prolétariat ».
Et sa propre générosité l'avait fortifié. Mais
maintenant il se trouvait aussi désespéré que
moi.

— Cette vie que je n'ai pas choisie, je ne
veux pas non plus la vivre, dans de telles ténèbres. Car la comédie est sinistre. Elle se joue sur
un théâtre de larmes et de sang.

Notre parfaite entente, notre propre bonheur, toute la douceur du monde, tout l'art des
hommes ne pouvaient nous faire admettre sans
raison — en quelque sens que l'on prenne l'expression — la misère, le malheur, la méchanceté
des hommes. Ou bien la justification du monde
était possible, et elle ne pouvait se faire sans une
connaissance véritable ; ou bien la vie ne valait
pas la peine d'un instant d'attention de plus.

— Quand il n'y aurait qu'un seul cœur au
monde à souffrir certaines souffrances, un seul
corps à connaître l'agonie de la mort, cela exigerait une justification ; et quand il n'y aurait
que la souffrance d'un seul enfant ; et quand
même les animaux seuls souffriraient sur la
terre, cela, tout cela, exigerait une satisfaction.

— En aucun cas l'état de choses n'est accep-
table sans une lumière vraie sur l'existence. Si
une telle lumière est impossible l'existence aussi
est impossible, et il ne vaut pas la peine de vivre.

Si... Si... Et nous allions ajoutant des strophes
sombres et des strophes sombres à ce chant de
notre détresse. Mais il y avait toujours ce condi-
tionnel dans notre âme. Il y avait toujours cette
petite espérance, cette porte entr'ouverte sur le
chemin du jour.

Avant de quitter le Jardin des Plantes nous prîmes une décision solennelle qui nous pacifia : celle de regarder en face, et jusqu'en leurs dernières conséquences — pour autant que cela serait en notre pouvoir — les données de l'univers malheureux et cruel dont la philosophie du scepticisme et du relativisme était l'unique lumière.

Nous ne voulions accepter aucun masque, aucune cajolerie des grandes personnes endormies dans leur fausse sécurité. L'épicurisme qu'elles proposaient était un leurre, tout autant que le triste stoïcisme, et l'esthétisme — un amusement. Nous ne voulions pas non plus, parce que la Sorbonne avait parlé, considérer que tout était dit. Le monde universitaire était alors chez nous si hermétiquement clos sur lui-même, qu'à cette simple pensée nous avions déjà quelque mérite.

Nous décidâmes donc de faire pendant quelque temps encore confiance à l'inconnu ; nous allions faire crédit à l'existence, comme à une expérience à faire, dans l'espoir qu'à notre appel véhément le sens de la vie se dévoilerait, que de nouvelles valeurs se révéleraient si clairement qu'elles entraîneraient notre adhésion totale, et nous délivreraient du cauchemar d'un monde sinistre et inutile.

Que si cette expérience n'aboutissait pas, la

solution serait le suicide ; le suicide avant que les années n'aient accumulé leur poussière, avant que nos jeunes forces ne soient usées. Nous voulions mourir par un libre refus s'il était impossible de vivre selon la vérité.

CHAPITRE IV

HENRI BERGSON

« *Une idée de la vérité* »

C'est alors que la pitié de Dieu nous fit trouver Henri Bergson.

Il enseignait au Collège de France, dont les bâtiments font face à ceux de la Sorbonne. Il n'y avait que la rue Saint-Jacques à traverser, et à faire quelques pas dans la rue des Ecoles, mais cela n'était pas aussi facile qu'on pourrait le croire. Il y avait justement entre les deux institutions une montagne de préjugés et de méfiance ; et particulièrement de la part des philosophes de la Sorbonne à l'égard de la philosophie de Bergson. De sorte qu'il était presque aussi difficile aux jeunes étudiants d'imaginer d'aller de la Sorbonne au Collège de France, que de la Sorbonne à l'église Sainte-Geneviève, sa proche voisine cependant.

Celui qui nous fit traverser la rue, celui qui nous a fait passer d'une maison à l'autre, fut justement l'ennemi déclaré de l' « historicisme » sorbonnien, — Charles Péguy.

Un jour donc, ayant vu que notre déception était complète, il nous emmena au cours de Bergson.

Nous venions de faire le bilan de ce que nos maîtres nous avaient donné comme viatique, à nous les très jeunes gens qui attendions d'eux les principes d'une connaissance vraie et d'une action juste, et nous nous apercevions ne tenir en nos mains que mort et poussière. Le positivisme pseudo-scientifique, le scepticisme, le relativisme faisaient violence en nous à cette « idée de la vérité invincible à tout le pyrrhonisme », dont parle Pascal ; et nous ne pouvions résister que par la souffrance à cette démoralisation de l'esprit. Pouvions-nous, à dix-huit, à vingt ans, opposer une doctrine personnelle à toutes ces doctrines ? Pouvions-nous les réfuter systématiquement, voir nous-mêmes clairement en quoi elles étaient erronées ? D'instinct nous nous débattions contre un relativisme sans issue, contre cette relation au néant, puisqu'aucun absolu n'était admis. Malgré tout ce qui pouvait nous en détourner nous persistions à *chercher la vérité* — quelle vérité ? — à porter en nous l'espérance d'une plénitude d'adhésion possible à une plénitude d'être.

Si j'essayais, faisant abstraction de toute théorie métaphysique, de formuler comme j'aurais pu le faire alors ce qu'étaient pour moi la vérité et la connaissance, je dirais à peu près ceci :

Au seul énoncé du mot vérité mon cœur tressaillait d'enthousiasme. La beauté de ce mot brillait à mes yeux comme un soleil spirituel opposé à toutes les ténèbres — celles de l'ignorance, celles de l'erreur, celles du mensonge, celles même de l'iniquité qui est une erreur de mesure et un mensonge. Connaître la vérité. Pléonasme. Dans vérité il y a déjà connaître, comme il y a réalité et être. Penser le mot vérité c'est sous-entendre une faculté spirituelle, en quoi seulement se peut trouver une vérité. C'est sous-entendre la capacité d'une telle faculté spirituelle à se conformer à l'être, au réel, pour produire en elle-même la vérité. Et c'est aussi poser la question de savoir si une telle faculté existe.

Mais penser, parler, poser une telle question, c'est témoigner déjà qu'à cette question, et avant même qu'elle ne soit posée une réponse spontanée, implicite, est donnée, et que cette réponse est affirmative.

Dans l'hypothèse en effet où cette réponse serait négative, nous devrions ne plus parler, ni poser de questions d'aucune sorte, puisque toute possibilité d'adéquation cognitive au réel étant niée nous sommes dépourvus du moyen d'affirmer, de nier, de répondre, et de penser.

Sans doute nous ne pouvons pas ne pas penser ; penser est une fonction humaine. Mais si nous ne possédions aucune faculté d'appréhension du réel notre pensée ne serait qu'un rêve, une fonction purement subjective, une efflorescence psychique sans finalité, cet *épiphénomène* inventé par le mécanicisme ; à aucun titre, même au titre de la « vérité relative » des savants et des historiens, elle ne pourrait être considérée comme capable de cette vérité dont l'idée s'impose en tout cas et malgré tout à notre usage, ni comme moyen de communication humaine. Au-dessus de notre âme elle s'élèverait comme une vapeur fuligineuse, comme un feu follet dansant au-dessus d'un marais.

Dans cette hypothèse toute hypothèse est inutile et vide de sens, on ne pourrait la qualifier ni de vraie ni de fausse, puisque le vrai a été éliminé avec la possibilité de saisir le réel, et que le faux ne s'établit que par rapport au vrai.

L'hypothèse dans laquelle il n'existe pas de

faculté d'appréhension du réel ne peut donc
être formulée qu'à titre de doute méthodique
mais non pas de doute réel, elle est un procédé
philosophique de recherche, elle ne caractérise
pas la nature de l'esprit. Cela du moins nous en
étions sûrs.

Spontanément, instinctivement, à la question
de savoir si l'homme possède une faculté spirituelle capable de connaître le réel, nous don-
nions donc une réponse positive. Mais de notre
réponse nous ne pouvions encore établir, d'une
manière scientifique, philosophique, ni la lé-
gitimité, ni la portée.

Cette philosophie de la vérité, cette vérité si
ardemment cherchée, si invinciblement crue,
elle n'était donc encore pour nous qu'une sorte
de Dieu inconnu. Nous lui réservions un autel
dans notre cœur, nous l'aimions ardemment
sans la connaître ; d'avance nous lui reconnais-
sions tous les droits sur nous, sur notre vie. Mais
ce qu'elle serait, par quelle voie, par quels moyens elle pourrait être atteinte — nous ne le
savions pas.

Se lèverait-elle comme le soleil, pour une
longue journée d'heureuses découvertes ? Ou
comme la lune, pour n'éclairer que la nuit de
notre misère ? Serait-elle comme le ciel étoilé —
lumière et ténèbres à la fois ? — Nous ne le sa-

vions pas. Nous savions seulement que telle qu'elle serait elle serait notre maîtresse et que nous voudrions être ses serviteurs.

Il y avait donc toujours en nous cette idée invincible de la vérité, cette porte ouverte sur le chemin de la vie. Or jusqu'au jour inoubliable où nous entendîmes Bergson cette idée de la vérité, cette espérance de découvertes insoupçonnées avait été par tous ceux dont nous espérions quelque lumière implicitement ou explicitement bafouée.

Au Cours d'Henri Bergson

Nous trouvâmes le philosophe dans tout l'éclat de sa jeune gloire. Il avait déjà publié depuis longtemps ses deux grands livres : l'*Essai sur les données immédiates de la Conscience,* et *Matière et Mémoire.* Nous les lûmes un peu plus tard, c'est par ses cours que nous connûmes d'abord sa doctrine philosophique.

L'art consommé avec lequel Bergson exposait ses vues, et semblait nous entraîner tous dans le processus de ses découvertes, n'atténuait en rien la subtilité et la technicité de son enseignement. Cependant la grande salle où il parlait était trop petite pour contenir tous ceux qui accouraient, avides de l'entendre.

Avec Péguy, Sorel, Ernest Psichari, nous arrivions de bonne heure pour trouver sûrement une place. Henri Focillon, Jean Marx, Masson-Oursel, la poétesse Anna de Noailles se trouvaient aussi dans la salle. Ce n'était pas le snobisme, comme on serait tenter de le croire, mais un sûr instinct qui guidait ces nombreux auditeurs, et nous n'étions pas les seuls sans doute à qui Bergson rendait la joie de l'esprit en rétablissant la métaphysique dans ses droits.

Quelqu'un que je connais bien a écrit beaucoup plus tard que « l'homme est un animal qui se nourrit de transcendentaux. » Dans des termes différents Bergson nous assurait qu'une telle nourriture était à notre portée, que nous sommes capables de connaître vraiment le réel, que par l'intuition nous atteignons l'absolu. Et nous traduisions que nous pouvions vraiment, absolument, connaître ce qui est. Peu nous importait alors que ce fût par l'intuition qui transcende les concepts, ou par l'intelligence qui les forme ; l'important, l'essentiel, c'était le résultat possible : atteindre l'absolu. Par une critique merveilleusement pénétrante Bergson dissipait les préjugés antimétaphysiques du positivisme pseudo-scientifique, et rappelait l'esprit à sa fonction réelle, à son essentielle liberté.

Sa parole éloquente et précise nous tenait en suspens ; la distraction était impossible. Pas un instant notre attention ne se détournait, ne rompait le fil précieux du discours. Il en était comme pour la musique parfaitement belle : son authenticité, sa richesse profonde enchaîne l'esprit et ne lui permet pas de s'évader. S'il y a des défaillances dans l'attention passive de l'auditeur, il y en a sans doute aussi dans la nécessité du texte écouté... Et lorsque la pensée de Bergson atteignait un de ses sommets, comme le jour où il nous dit, faisant allusion à une parole de l'Apôtre (ce qu'alors j'ignorais) : — « Dans l'absolu nous vivons, nous nous mouvons et nous sommes », il créait en nous l'enthousiasme, et une reconnaissance joyeuse qui devait subsister à travers les années, à travers même de graves divergences philosophiques, et malgré des critiques nécessaires et non atténuées.

Péguy et Psichari, Jacques et moi, nous formions un quatuor exultant, parce que des perspectives de vie spirituelle et de certitudes intellectuelles s'ouvraient à nouveau devant nous.

Jacques et Ernest Psichari prenaient des notes — où sont-elles maintenant ! — Péguy et moi

nous les plaisantions à ce sujet. Les notes d'Ernest formaient un tout compact, sans alinéas,
sans points ni virgules ; nous disions qu'elles
figuraient l'écoulement continu de la durée.
Celles de Jacques dessinaient de petits para-
graphes distincts — nous disions qu'elles mon-
traient les articulations de la pensée bergsonienne.

Je retrouvais la légèreté et la joie de mon
enfance, alors que le cœur battant, je me rendais au Lycée.

Nous partions pour les cours de Bergson
émus d'une curiosité bouleversante, d'une attente sacrée. Nous en revenions portant notre
cueillette de vérités ou de promesses, comme
vivifiés d'un air salubre, exubérants, prolon-
geant encore et encore les commentaires sur la
leçon du Maître. L'hiver passait, le printemps
allait paraître.

Quelques mots sur la philosophie de Bergson

A cette faculté spirituelle de connaître dont
nous avions l'obscure espérance nous ne don-
nions aucun nom encore ; mais il est probable
que nous l'aurions appelée intelligence, si la
pensée de la nommer nous était venue.

Bergson, en reconnaissant l'existence d'une telle faculté, l'a appelée intuition, et il l'a opposée à l'intelligence dans une critique extrêmement sévère du concept ; s'il refuse au concept tout pouvoir authentique d'appréhender le réel, c'est qu'il dénie à l'intelligence ses bases et ses sommets qui sont justement l'intuition.

Quelques années plus tard, en étudiant la nature, la vie et la fonction de l'intelligence, en constatant que la critique bergsonienne n'avait réellement porté que contre un mauvais usage de l'intelligence, et contre une métaphysique erronée, rationaliste et scienticiste, Jacques devait se séparer de Bergson sur ce point. Mais l'enseignement de Bergson en ce qu'il avait de positif nous rendait la possibilité même du travail métaphysique ; et, en ce qu'il avait de négatif, démasquant les sophismes sur lesquels étaient fondées les théories mécanicistes et matérialistes, il déblayait le terrain philosophique d'un grand nombre de pseudo-problèmes et de fausses solutions.

Cependant la première découverte psycho-métaphysique de Bergson n'a pas été celle de l'intuition, mais celle de la durée. D'abord la découverte ; puis la prise de conscience du mode de découverte.

Revenant par l'introspection sur la vie de la conscience, Bergson saisit en elle une réalité continue, qualitative, étrangère — il n'a pas dit : à l'être, et cela est très important pour l'interprétation et les conséquences éloignées de sa doctrine, — mais à l'espace, et au temps spatialisé de la physique.

Par d'admirables analyses psychologiques, reprenant ce qu'il avait déjà dit dans son *Essai sur les Données Immédiates de la Conscience*, et dont je citerai ici quelques passages, Bergson nous découvrait le monde de ce qu'il appelait la durée, et qui était à vrai dire, dans le concret, le dynamisme de l'être sous le voile de l'introspection psychologique. Il nous conduisait jusqu'à cette profonde réalité de la « pure durée », saisie par la conscience lorsque abandonnant toute image de spatialité elle se replie sur elle-même ; la pure durée est « une succession de changements qualitatifs qui se fondent, qui se pénètrent sans contours précis, sans aucune tendance à s'extérioriser les uns par rapport aux autres, sans aucune parenté avec le nombre... » C'est « l'hétérogénéité pure, »[1] opposée à l'abso-

---

1. Henri Bergson. *Essai sur les Données Immédiates de la Conscience.* Paris. Alcan. 9ème éd. 1911.

lue homogénéité de l'espace, C'est le royaume de la qualité opposée à la grandeur mesurable.

« Considérés en eux-mêmes, les états de conscience profonds n'ont aucun rapport avec la quantité ; ils sont qualités pures ; ils se mêlent de telle manière qu'on ne saurait dire s'ils sont un ou plusieurs, ni même les examiner à ce point de vue sans les dénaturer aussitôt ».

Bergson libérait l'esprit en le rappelant à l'intériorité où est sa vie véritable, aux profondeurs toutes qualitatives de la conscience, en s'élevant avec force et succès contre la tendance des philosophes de son temps à tout ramener — même le qualitatif, l'unique, et l'incomparable — au nombre et à l'espace, aux quantités mesurables, superposables et réversibles selon l'extériorité et l'homogénéité des relations physico-mathématiques. Si un tel comportement intellectuel est légitime dans le domaine des sciences mathématiques et physiques, il est dans les autres destructif de toute philosophie vraie. Bergson rendait à la philosophie son domaine en montrant que la science et les procédés qui sont les siens y sont inévitablement inapplicables, du fait même que la science cherche, aujourd'hui du moins, ses ultimes explications dans la quantité pure, dans l'homogène et le mesurable :

« La science, dit-il dans l'*Essai* comme il disait dans son cours, la science n'opère sur le temps et le mouvement qu'à la condition d'en éliminer d'abord l'élément essentiel et qualitatif, — du temps la durée, et du mouvement la mobilité. C'est de quoi l'on se convaincrait sans peine en examinant le rôle des considérations de temps, de mouvement et de vitesse en astronomie et en mécanique.

« Ce qui prouve bien que l'intervalle de durée lui-même ne compte pas au point de vue de la science, c'est que, si tous les mouvements de l'univers se produisaient deux ou trois fois plus vite, il n'y aurait rien à modifier ni à nos formules, ni aux nombres que nous y faisons entrer. La conscience aurait une impression indéfinissable et en quelque sorte qualitative de ce changement [nous en mourrions peut-être, en tout cas le tempo de notre vie serait changé,] mais il n'y paraîtrait pas en dehors d'elle, puisque le même nombre de simultanéités se produirait encore dans l'espace. » De même « la mécanique ne retient du temps que la simultanéité », et « du mouvement lui-même que l'immobilité. »

Henri Bergson

Comme, pour Bergson, la durée est constitutive du moi, tout procédé d'analyse qui ignore ou néglige cet élément essentiel, qualitatif et irréductible au symbolisme spatial, est impropre dans ce domaine. Le déterminisme physique ne réduit-il pas toute la vie de la conscience à un épiphénomène ? « On se représente des mouvements moléculaires s'accomplissant dans le cerveau ; la conscience s'en dégagerait parfois sans qu'on sache comment, et en illuminerait la trace à la manière d'une phosphorescence... Mais à quelque image que l'on se reporte, on ne démontre pas, on ne démontrera jamais que le fait psychologique soit déterminé nécessairement par le mouvement moléculaire. Car dans un mouvement on trouvera la raison d'un autre mouvement, mais non pas celle d'un état de conscience... Quant au déterminisme psychologique, il implique une conception associationiste de l'esprit... Son tort est d'avoir éliminé d'abord l'élément qualitatif de l'acte pour n'en conserver que ce qu'il a de géométrique et d'impersonnel... C'est une psychologie dupe du langage, que celle qui nous montre l'âme déterminée par une sympathie, une aversion ou une haine, comme par autant de forces qui pèsent sur elle. Ces sentiments, pourvu qu'ils aient atteint une profondeur suffisante, représentent chacun l'âme entière, en ce sens que tout le contenu de l'âme se reflète en chacun d'eux. »

Pour Bergson dire que l'âme tout entière est engagée dans un de ses actes, c'est dire qu'elle est libre. La personne peut être « tout entière dans un seul de ses actes, pourvu qu'on sache le choisir. Et la manifestation extérieure de cet acte interne sera précisément ce qu'on appelle un acte libre, puisque le moi seul en aura été l'auteur, puisqu'elle exprime le moi tout entier... » On pourrait penser qu'il s'agit là de spontanéité, plutôt que de liberté ; mais cette spontanéité dans le cas où elle engage la personne tout entière équivaut réellement à la liberté ; parce que, à vrai dire, et cela Bergson ne le mettait pas en lumière, c'est grâce à la maîtrise spirituelle de la volonté sur son propre acte que la personne peut s'engager tout entière en lui.

Bergson a établi une doctrine psychologique de la liberté plutôt qu'une doctrine métaphysique ; celle-ci ne peut se passer d'une métaphysique de l'intellect et de la volonté, et Bergson n'a pas véritablement recherché dans ses travaux une telle métaphysique. Son intuition primordiale l'engageait sur d'autres voies. Mais à son plan psychologique la doctrine bergsonienne de la liberté n'est nullement incompatible avec les conclusions métaphysiques d'Aristote et de saint Thomas. C'est seulement si on la présente comme une métaphysique de la liberté qu'elle révèle son insuffisance. Quoi qu'il en soit, dans les deux philosophies la conclusion est la même : elle affirme la liberté comme la caractéristique de la personnalité. Les deux philosophies admettent, (contrairement à ce que Bergson, pensait des métaphysiques spiritualistes), des degrés dans la liberté, parce que nos actes ne nous engagent pas tous au même degré. Les deux philosophies reconnaissent aussi que les actes vraiment libres, vraiment « humains » sont rares. Parce que nous vivons en général à la surface de nous-mêmes, là où l'automatisme, l'habitude, la facilité, la suggestion tiennent lieu de liberté. « Beaucoup vivent ainsi et meurent sans avoir connu la vraie liberté, mais la suggestion même deviendrait persuasion si le moi tout entier se l'assimilait ; la passion même soudaine, ne présenterait plus le même caractère fatal s'il s'y réflétait, ainsi que dans l'indignation d'Alceste, toute l'histoire de la personne ; et l'éducation la plus autoritaire ne retrancherait rien de notre liberté si elle nous communiquait seulement des idées et des sentiments capables d'imprégner l'âme entière. C'est de l'âme entière en effet que la décision libre émane ; et l'acte sera d'autant plus libre que la série dynamique à laquelle il se rattache tendra davantage à s'identifier avec le moi fondamental ». Est-ce que ceci ne ferait pas d'une certaine manière comprendre comment la vision divine qui attache totalement à Dieu les esprits bienheureux ne détruit pas en eux la liberté, mais la fortifie au contraire pour tous les actes qui dérivent de leur contemplation ?

« On excusera cette digression » disait souvent Bergson dans ses cours ; et il pouvait du reste ajouter avec raison qu' « elle n'était pas inutile ». Il me semble qu'en tout cas il n'est pas inutile de citer encore quelques textes de Bergson, parmi ceux qui correspondent à ce que j'ai retenu de son enseignement oral. Il disait que la plupart de nos actions journalières s'accomplissent à la manière des réflexes. Il accordait au déterminisme que « nous abdiquons souvent aussi notre liberté dans les circonstances plus graves, par inertie ou mollesse ». Il arrive ainsi que nous nous laissions persuader par l'insistance de nos amis les plus sûrs en cédant passivement à leurs raisons, et nous croyons agir librement, « et c'est seulement en y réfléchissant plus tard que nous reconnaîtrons notre erreur. Mais aussi, au moment où l'acte va se produire, il n'est pas rare

qu'une révolte se produise. C'est le moi d'en
bas qui remonte à la surface. C'est la croûte
extérieure qui éclate, cédant à une irrésistible
poussée. Il s'opérait donc dans les profondeurs
de ce moi et au-dessous des arguments très
raisonnablement juxtaposés, un bouillonne-
ment et par là même une tension croissante de
sentiments et d'idées, non point inconscients
sans doute, mais auxquels nous ne voulions pas
prendre garde... Par une inexplicable répu-
gnance à vouloir, nous les avions repoussés dans
les profondeurs obscures de notre être chaque
fois qu'ils émergeaient à la surface ». Mais,
violemment, le moi profond a réagi. Nous cher-
chons à savoir en vertu de quelle raison nous
nous sommes décidés « et nous trouvons que
nous nous sommes décidés sans raison, peut-être
même contre toute raison. Mais c'est là précisément, dans certains cas, la meilleure des raisons ». Remarquons cette incidente ; *dans certains cas*. Car si nous nous sommes décidés sous
la poussée d'une passion, ou d'un moment
d'aberration, nous n'avons pas agi librement.
Mais si l'action accomplie « répond à l'ensemble
de nos sentiments, de nos pensées et de nos
aspirations les plus intimes, à cette conception
particulière de la vie qui est l'équivalent de
toute notre expérience passée, bref à notre idée

personnelle du bonheur et de l'honneur », c'est librement que nous avons agi. A vrai dire une telle décision, qui paraît passer outre aux raisonnements les mieux agencés, et qui nous donne un sentiment de plénitude et de justice accomplie, ressemble beaucoup à l'inspiration, soit qu'elle nous appartienne totalement, soit qu'elle vienne de Dieu, parce que c'est à ces profondeurs seulement qu'elle peut se former, et que Dieu agit en nous.

Le véritable motif, la véritable raison d'un acte libre exprime dans un acte profond de l'intelligence notre être tout entier, et ne ressemble en rien à ces *pour et contre* d'une raison impersonnelle qu'imagine un intellectualisme de mauvais aloi. C'est en ce sens, me semble-t-il, qu'on peut entendre la réduction que Bergson tentait du « motif » dans l'ordre pratique, et qui correspondait à sa critique du « concept » dans l'ordre spéculatif. « On montrerait sans peine, disait-il, que nos actions insignifiantes sont liées à quelque motif déterminant. C'est dans les circonstances solennelles, lorsqu'il s'agit de l'opinion que nous donnerons de nous aux autres, et surtout à nous-mêmes, que nous choisissons en dépit de ce qu'on est convenu d'appeler un motif ; et cette absence de toute raison tangible est d'autant plus frappante que nous sommes plus profondément libres... Bref nous sommes libres quand nos actes émanent de notre personnalité tout entière, quand ils l'expriment, quand ils ont avec elle cette indéfinissable ressemblance qu'on trouve parfois entre l'œuvre et l'artiste. En vain alléguera-t-on que nous cédons alors à l'influence toute-puissante de notre caractère. Notre caractère c'est nous... »

Il ne faudrait pas croire cependant que notre activité libre soit seulement le privilège de quelques moments exceptionnels. « Le processus de notre activité libre se continue en quelque sorte à notre insu, à tous les moments de la durée, dans les profondeurs obscures de la conscience... le sentiment même de la durée vient de ce processus continu de notre activité libre au fond de la conscience... » Autrement dit, cette activité libre est première, elle est la vie propre de la personne spirituelle, et durée, esprit et vie sont synonymes. Il y a tout cet univers dans la primordiale intuition de Bergson. Cette durée est comme la nébuleuse primitive dont toute la métaphysique de Bergson pouvait sortir par des différenciations successives ; tout allait dépendre des analyses et des intuitions par lesquelles le philosophe allait procéder. Car on ne peut philosopher seulement à coup d'intuitions. Il faut analyser aussi et déduire, il faut coûte que coûte synthétiser et systématiser. C'est là que gît la possibilité de l'erreur. On pourrait dire, en anticipant, (car alors nous étions bien loin de telles critiques) que les systématisations de Bergson ont été malheureuses deux fois : dans *l'Evolution Créatrice,* où il semble méconnaître la transcendance du Principe créateur, et où il paraît décidément minimiser la valeur de l'intelligence humaine, et dans *la Perception du Changement* où, systématisant à outrance son intuition de la durée, il fait du changement pur « la substance même des choses ». Mais beaucoup plus tard, dans *Les Deux Sources de la Morale et de la Religion,* Bergson devait revenir à la liberté des intuitions spirituelles, et muni cette fois du trésor des richesses acquises par trente années de méditations et de travaux, rejoindre et dépasser les vérités incluses dans son *Essai sur les Données Immédiates de la Conscience.*

A l'époque où nous suivions ses cours, un peu avant la publication de *l'Evolution Créatrice,* nous ne recevions que le bénéfice des horizons qu'il nous ouvrait, hors du monde vide et décoloré du mécanicisme universel, sur l'univers des qualités, sur la certitude spirituelle,

sur la liberté de la personne. « L'acte qui porte
la marque de notre personne est véritablement
libre », disait-il, « la liberté est un fait, et parmi
les faits que l'on constate il n'en est pas de plus
clair. » Les profondes analyses de *Matière et
Mémoire* se retrouvaient aussi dans les cours
du Collège de France, notamment dans la discussion du « parallélisme psycho-physique »,
et dans ces exposés brillants où Bergson nous
montrait tout ce qu'une certaine psychologie
soi-disant purement scientifique doit en réalité
à la métaphysique de Spinoza.

Je ne prétends pas avoir donné ici un exposé
de la philosophie de Bergson. Cela conviendrait
peu à la simplicité de ces mémoires, et de plus
j'ai voulu m'en tenir seulement à ce que je
savais de cette philosophie à l'époque dont je
parle.

Jacques fut bientôt réputé à l'Université
comme un disciple de Bergson. Il promenait
dans les salles de cours la flamme révolution-
naire d'un socialisme ardent et de la philosophie de l'intuition. Et le maître lui-même disait
qu'il était celui de ses élèves qui comprenait et
interprétait le mieux sa pensée.

A la Sorbonne, au cours de Gabriel Séailles
où il suivait assidûment les conférences prépa-

ratoires à l'agrégation, Jacques fit un jour une leçon ultra-bergsonienne qui scandalisa un jeune Dominicain venu de son couvent respirer l'air de la Sorbonne. Ce Dominicain, connu aujourd'hui comme un des meilleurs théologiens de notre temps, et qui devait devenir notre ami de beaucoup d'années, était le Père Garrigou-Lagrange.

Parlant de la morale, Jacques, en partie sérieux, en partie frondeur, avait donc émis cette proposition dont nous avons souvent ri, depuis, avec le Père Garrigou : « La morale est une danse, qui se joue à travers toutes les formes du devenir sans jamais s'arrêter à aucune ». Ce qui pouvait indiquer, à la rigueur, une des directions que la pensée de Bergson aurait pu prendre en cette matière, mais que, Dieu merci, le philosophe n'a jamais prise, ayant trouvé — beaucoup plus tard il est vrai, dans la morale des mystiques chrétiens — une « forme » où s'arrêter.

De Plotin à Ruysbroeck

Nous assistions aussi, une fois par semaine, au cours d'explication de grec que Bergson donnait dans une petite salle du Collège de France devant un petit nombre d'élèves. Nous nous trouvions si près de la table où il posait le texte à commenter que nous aurions pu, presque, le lire avec lui. Et il nous semblait que cette proximité, cette intimité nous rapprochait à la fois du maître commentateur et du maître commenté, comme si nous étions tous compris dans la nuée lumineuse de leurs intelligences conjuguées.

L'année où je suivis ce cours, Bergson expliquait Plotin, nous sentions qu'il s'y intéressait personnellement beaucoup, mais nous ne nous doutions pas du grand rôle que Plotin allait jouer dans sa vie. Ce rôle nous ne le connûmes que beaucoup plus tard. L'explication de Bergson rendait limpide le texte difficile, et tout me semblait aisé à comprendre sous sa conduite. Ces cours réservés nous étaient infiniment chers. Ils introduisaient dans ces régions où il semble que nous aspirions naturellement, où nous respirons librement, où notre cœur brûle au-dedans de nous, et où nous commençons à pressentir qu'il existe un lieu spirituel « d'où descendent les dons parfaits ».

Je me mis à lire Plotin en dehors du cours, avec beaucoup de joie. Mais un seul souvenir, éblouissant, se détache pour moi de cette lecture et rejette tout le reste dans l'ombre. Un jour d'été, à la campagne, je lisais donc les Ennéades. J'étais assise sur mon lit, et le livre était posé sur mes genoux ; arrivée à un de ces nombreux passages où Plotin parle de l'âme et de Dieu en mystique autant qu'en métaphysicien, — passage que je n'ai même pas songé alors à marquer, et que je n'ai pas recherché depuis, — un trait d'enthousiasme me traversa le cœur ; en un instant je me trouvai à terre agenouillée devant le livre, et couvrant de baisers passionnés la page que je venais de lire, le cœur brûlant d'amour.

J'ai trouvé ce souvenir toujours vivant et vibrant en moi chaque fois que j'ai voulu l'évoquer, et bien qu'une heure après l'événement spirituel que je raconte je ne m'en sois plus souciée, que je n'y aie pas réfléchi, que je n'en aie alors tiré aucune conséquence.

Je repris ma vie au point exact où elle était auparavant ; je restais, en apparence, inchangée, et je continuai à chercher ce que je venais de trouver à l'improviste, ou plutôt celui qui dans un éclair s'était fait sentir à moi et avait disparu.

Un jour je m'en fus toute tremblante demander à Bergson des conseils pour mes études, davantage sans doute — pour ma vie. C'était la première fois que je faisais une telle démarche. De ce qu'il me dit alors quelques mots se sont à jamais gravés dans ma mémoire : « — Suivez toujours votre inspiration ». N'était-ce pas me dire : soyez vous-même, agissez toujours librement. Beaucoup plus tard je lui ai rappelé ce conseil que je m'étais appliquée à suivre en effet. Et Bergson souriant de son imprudence me dit aimablement : — « Ce n'est pas un conseil que j'aurais pu donner à beaucoup de personnes »...

Cependant cela aurait été tout à fait dans l'esprit de la doctrine bergsonienne de la liberté. Pour Bergson en effet, comme on a pu le voir par les textes cités plus haut, suivre son inspiration — si c'est vraiment l'inspiration, c'est à dire le conseil personnel ou divin qui monte des profondeurs de notre moi — c'est agir selon ce que nous sommes réellement, ou selon le meilleur de nous-mêmes, c'est agir librement.

Le danger est de prendre pour ce surgissement des profondeurs, pour ce grand souffle de l'âme, n'importe quelle brise capricieuse venant du dehors, effleurant seulement et flattant notre conscience.

Quoi qu'il en soit Bergson m'avait donné confiance en mes tendances essentielles, avait ouvert mon esprit à l'intériorité de la vie, m'avait

libérée de la crainte de ne pas agir selon les
plus purs idéaux du positivisme scientifique.

C'est seulement après avoir lu Plotin que je
lus Platon, et puis Pascal. Ces grandes voix emplissaient mon âme de leurs résonances à l'infini. Confusément encore je percevais en elles
l'annonciation d'un monde nouveau pour moi.
Tout a été dit de la beauté des Dialogues de
Platon. Et c'est leur Beauté justement, la poésie
qui vit en eux qui assure leur pérennité, plus
encore peut-être que la philosophie qu'ils exposent. Et l'inspiration en est souvent surpre-
nante aussi, que sa source soit en Socrate ou
qu'elle soit située plus haut encore. Après avoir
lu ces dialogues je pouvais aborder Pascal sans
trop de dépaysement. Et après avoir lu Pascal
revenir à Socrate avec plus d'admiration encore.

Je connaissais à peine Pascal par quelques
citations, lorsque Jacques, avec son sentiment
des temps opportuns pour moi, me fit cadeau
d'un gros petit livre, édité et annoté par Léon
Brunschwicg, et que depuis trente, quarante ans
peut-être, toutes les générations d'étudiants, en
France, ont eu entre les mains.

Mais c'est d'une manière constante, et depuis
le XVIIᵉ siècle, que Pascal exerce son influence
chez nous, plus profonde, plus vivante que celle

d'aucun autre de nos classiques. Pascal surprend le lecteur qui ne s'attend qu'à un style exemplaire et trouve un maître pathétique et bouleversant. Par leur sincérité et leur humanité, leur élévation et leur efficacité spirituelle les Pensées de Pascal peuvent être mises au même rang que les Confessions de saint Augustin. Mais le « classique » Pascal est plus tragique et plus véhément que le saint platonicien lui-même.

Ce qui surtout agissait sur moi dans Pascal, c'est ce sens de l'abîme qu'il a ; de l'abîme qu'il a côtoyé ; c'est cette perception du vertige et du désespoir qui devrait saisir tout homme digne de ce nom à qui la certitude est refusée ; c'est qu'il avait éprouvé jusqu'à l'angoisse le besoin de la vérité pour vivre, la nécessité de l'absolu pour y attacher son âme.

Chose étrange, ce qu'il y avait en lui de positivement chrétien — toutes les découvertes religieuses qu'il avait faites, sa brûlante piété, sa conversion enfin, — ne me touchait guère, était voilé pour moi, et cette fois par mon ignorance sans doute, mais aussi, je crois, par la beauté même du style admirable qui m'arrêtait d'une certaine manière à lui-même, et me détournait des choses qu'il signifiait. La beauté du style qui convient à la vérité des choses spiri-

tuelles est peut-être celle de la pureté et de
la transparence, et d'une certaine très haute im-
personnalité, plutôt que celle d'une originalité
trop caractérisée.

Quoi qu'il en soit j'aimais Pascal parce qu'il
justifiait ma propre inquiétude, ma propre
aspiration, ma propre recherche. Parmi tous les
classiques français, plus encore que Corneille,
il m'étonnait pas sa gravité douloureuse, par son
humanité sans masque, par sa tragique angoisse ; — un peu comme m'ont étonnée plus tard
certains musiciens français du début du XVII°
siècle, ces luthistes du temps de Louis XIII,
d'une gravité à peine pompeuse, un peu solennelle, mais si humaine, mélancolique et tendre,
rêveuse et contemplative, et si simplement profonde et pathétique !

C'est la même année, me semble-t-il, que je
lus pour la première fois un mystique chrétien,
Ruysbroeck. *L'Ornement des Noces spirituelles*,
traduit du flamand par Maurice Maeterlinck,
m'avait éblouie sans beaucoup m'éclairer. Une
phrase cependant hantait ma mémoire, et je
ne sais pourquoi m'exaltait. Pour me délivrer
de l'obsession je finis par la graver sur la porte
de la maison que nous habitions l'été à la cam-

pagne. Voici cette phrase que je cite de mémoire, mais qui ne doit guère s'éloigner du texte
— si elle s'en éloigne : « La simplicité d'intention est le principe et l'achèvement de toute
vertu ».

Et notre vie continua...

Nous étions fiancés depuis deux années au
moins lorsque nous décidâmes de nous marier
sans attendre la fin des études de Jacques.

Nos fiançailles s'étaient faites de la manière
la plus simple, sans nulle « déclaration ». Nous
étions seuls dans le salon de mes parents. Jacques était assis sur le tapis, tout près de mon
fauteuil ; il me sembla tout à coup que nous
avions toujours été l'un près de l'autre, et que
nous le serions toujours. Sans y penser je passai
la main dans ses cheveux, il me regarda, et tout
fut clair pour nous. Le sentiment se répandit en
moi que toujours — pour mon bonheur et mon
salut (je pensai cela exactement, bien qu'alors
le « salut » ne signifiât rien pour moi) — que
toujours ma vie serait unie à celle de Jacques.
Ce fut un de ces sentiments doux et pacifiants
qui sont comme un don qui afflue d'une région
supérieure à nous-mêmes, qui éclairent l'avenir

et approfondissent le présent. Dès ce moment notre accord fut parfait et irrévocable.

Pendant l'été de l'année 1904 nos parents nous emmenèrent, ma sœur et moi, dans un village du Loiret, où nous trouvâmes des chambres dans une auberge, et Jacques vint bientôt nous y rejoindre.

Il faisait très beau. Le petit village caché dans la verdure respirait la fraîcheur. On pouvait sans fin se promener dans les bois. La vie paraissait légère et simple ; nous avions même pour un peu de temps oublié nos grands problèmes. Nous étions heureux de vivre et de respirer. Et c'est alors justement que ma vie fut mise en question, et que ma santé fut pour longtemps ébranlée sinon tout à fait détruite.

Notre chère et romantique auberge était non seulement dépourvue de confort, ce qui n'est rien pour des jeunes gens, mais elle était tenue, comme nous l'apprîmes trop tard, sans aucun souci d'hygiène. Par exemple le chien buvait l'eau du puits avant nous, dans les seaux posés à terre. A ce beau régime je gagnai un mal de gorge qui prit une assez mauvaise tournure, et il fallut appeler le médecin. *Le* médecin. L'unique, à cinquante kilomètres à la ronde. Il ne fit qu'aggraver le mal en tirant de la poche de son veston, où il reposait sans nulle protection, un scalpel qu'il me planta dans la gorge avant que, épouvantée, j'aie pu arrêter sa main. Après de telles scarifications la gorge enfla de plus belle, au point que ma respiration devint très difficile. Naturellement je ne pouvais plus rien avaler de solide. Le diabolique médecin venait tous les jours, me regardait, hochait la tête, et partait sans rien prescrire. Le mal empira au point que toute prostrée j'oubliais même de respirer. Je me rappelle qu'une nuit où c'était au tour de Jacques de me veiller il ne cessa de me dire : « Respirez ! Respirez ! » Je respirais alors faiblement. Je ne pouvais même plus avaler un peu d'eau ; l'eau ressortait par les narines. Au matin Véra partit pour Paris et en revint à la nuit tombante avec un chirurgien. Mes pauvres parents, Véra et Jacques agonisaient plus que moi. Le Docteur Jacquemin diagnostiqua un phlegmon rétro-pharyngien et m'opéra séance tenante à la lumière d'une lampe à pétrole. « Tenez-la à la pointe de mon oreille ! à la pointe de mon oreille ! à la pointe de mon oreille ! » ne cessa-t-il de répéter durant l'opération. Véra tenait la lampe pendant que Jacques me tenait la tête. Il n'était que temps, le phlegmon était énorme et j'allais étouffer complètement. Mais j'étais sauvée à la dernière minute.

Suivit alors une longue et interminable et douloureuse convalescence. On me ramena à Paris enveloppée dans du coton, littéralement, dans du coton et des couvertures et je ne retrouvai que lentement la force de vivre.

Durant l'épuisante maladie je glissais à la mort avec une indifférence qui me semble maintenant extraordinaire ! Il n'y avait en moi ni regrets, ni craintes, ni réaction d'aucune sorte. Je m'en allais sans plus me poser de questions, sans revendications, sans plaintes, ni impatience. Je pense qu'un oiseau doit mourir ainsi.

La joie de vivre me revint peu à peu avec la santé ; mais une santé précaire, qui ne devait jamais redevenir ce qu'elle avait été avant cette maladie.

Lorsque je fus enfin capable de reprendre une vie normale nous nous occupâmes Jacques et moi des préparatifs de notre mariage ; celui-ci eût lieu le 26 novembre 1904. Nous nous installâmes rue de Jussieu, tout près du Jardin des Plantes. Et là Jacques prépara son agrégation.

Dans l'antichambre de notre logis il avait accroché une de ces gargouilles de plâtre bruni qu'on pouvait acheter dans les boutiques avoisinant le musée de Cluny, et dont le gothicisme

était d'un mauvais goût offensant. A la gueule
de la gargouille pendait une sorte d'enseigne où
Jacques avait dessiné en caractères non moins
gothiques ces mots engageants :

A L'ABSOLU

ENTREPRISE DE DÉMOLITIONS

CHAPITRE V

LÉON BLOY

Grâce à Maurice Maeterlinck

Maurice Maeterlinck ne se doute certes pas de la reconnaissance que nous lui devons : c'est grâce à lui que nous avons connu Léon Bloy, à cause de la justice qu'il a su noblement lui rendre après avoir lu *La Femme Pauvre*.

Lisant par hasard dans « le Matin » une enquête littéraire conduite par Louis Vauxcelles, critique d'art et journaliste assez connu à l'époque, nous étions tombés sur une phrase de Maeterlinck que j'ai toujours retenue depuis lors : « Si par génie, disait-il, on entend certains éclairs en profondeur, *La Femme Pauvre* est la seule des œuvres de ce jour où il y ait des marques évidentes de génie ». Cette phrase citée par Louis Vauxcelles au cours de son enquête était tirée d'une lettre écrite à Léon Bloy en juin 1897, et que Bloy a publiée dans un des volumes de son journal.[1] Voici le texte de cette très belle lettre, que nous ne devions connaître en son entier qu'un peu plus tard, mais il importe peu d'anticiper ici sur nos lectures :

« Monsieur, je viens de lire *La Femme Pauvre*. C'est, je crois, la seule des œuvres de ces jours où il y ait des marques évidentes de génie, si par génie, l'on entend certains éclairs en profondeur qui relient ce qu'on voit à ce que l'on ne voit pas et ce qu'on ne comprend pas encore à ce qu'on comprendra un jour. Au point de vue purement humain, on songe involontairement au *Roi Lear,* et on ne trouve pas d'autres points de repère dans les littératures. Croyez, Monsieur, à mon admiration très profonde. — Maurice Maeterlinck. »

Nous nous procurâmes et nous lûmes aussitôt cet étrange roman qui ne ressemblait à aucun autre roman. Pour la première fois nous nous trouvions devant la réalité du christianisme. Jusque là, que je lusse Corneille ou Pascal, ou même Ruysbroeck, je ne sais quoi, étrangement, me masquait son être réel, le trans-

---

1. Léon Bloy. *Mon Journal.*

posait dans l'art et l'imagination. Lisant *La Femme Pauvre* nous en traversâmes la forme littéraire comme les esprits, dit-on, traversent les murailles, pour aller directement non pas à l'auteur mais à l'homme, à l'homme de foi illuminé des rayons de cette étrange chose, si inconnue de nous, — le catholicisme — et comme identifié à lui.

Peu m'importait cette fois la magnificence du langage. Pour mon goût il n'était que trop magnifique ! Ces infinies recherches dans la notation minutieuse de la laideur ou de la médiocrité, ce parti pris de violence et de force, la perpétuelle hyperbole auraient pu fatiguer à la longue, diminuer, à tout prendre, la crédibilité du récit. Mais tout était sauvé par la sincérité éclatante, par une droiture sans défaillance, par un lyrisme authentique, profond, inépuisable, par la tendresse exquise d'un cœur fait pour aimer absolument, pour adhérer totalement à ce qu'il aime.

De toute évidence nous nous trouvions devant un très grand écrivain. Mais encore une fois, ce n'est pas ce qui nous a retenus alors. Ce qui nous a éblouis à cette première lecture de *La Femme Pauvre,* c'est l'immensité de cette âme de croyant, son zèle brûlant de la justice, la beauté d'une haute doctrine qui pour la pre-

mière fois surgissait à nos yeux. La foi, la pauvreté — « On n'entre pas dans le Paradis demain,
ni dans dix ans, on y entre aujourd'hui, quand
on est pauvre et crucifié » — la sainteté également exaltées, indissolublement unies : — « Il
n'y a qu'une tristesse, c'est de n'être pas des
saints ; » le courage et l'indépendance de caractère là où nous nous serions attendus à trouver
un conformisme obséquieux, les « ténèbres du
moyen âge », le pharisaïsme bourgeois.

Jonas et Léon Bloy

Nous ne lisions guère les Prophètes en ce
temps-là, cependant nous entendions comme un
écho de leur voix dans la voix de Léon Bloy. La
grandeur, la simplicité, la conviction imperturb-
able, le mépris des contingences, l'unicité du
but envisagé, le rendaient semblable à nos yeux
à l'un de ces rudes et magnifiques porte-parole
de Dieu.

D'une telle ressemblance Léon Bloy était lui-
même parfaitement conscient. Voici par exemple ce qu'il dit dans son journal, le 21 septembre 1900 :

« Personnellement je n'ai besoin d'aucun
homme et je n'implore aucun suffrage. J'obéis

à une consigne d'en haut, comme faisait
l'homme dont parle Josèphe, à la veille de la
destruction de Jérusalem. Cela jusqu'à ce que
je sois comme lui écrasé... Mais je me réjouis
pour l'honneur de la Vérité, d'un peu de justice
humaine. »

Comme les Prophètes il est impatient de voir
se manifester sur la terre la Justice de Dieu, de
voir Dieu vengé de l'injustice des hommes. Car
ce qui importe avant tout au Prophète c'est la
manifestation de la gloire divine.

« Le Prophète, écrit-il magnifiquement, est
surtout une Voix pour faire descendre la justice...

« Si l'on veut absolument, avec ou sans ironie,
donner ce nom magnifique à un vociférateur de
ma sorte, il faut accepter aussitôt cette conséquence, tirée de la nature même des choses, que
ses cris auront le pouvoir d'accélérer les dévas-
tations. C'est en ce sens qu'il sera prophète,
autant qu'on peut l'être sans l'inspiration divine, exactement comme un homme de prière
est thaumaturge. »

Aussi, tel Jonas faisant des reproches à un
Dieu trop miséricordieux, qui paraît oublier la
justice et ce qu'il doit à la réputation de véracité

de son Prophète, Léon Bloy se déclare mécontent de la dernière année du XIXe siècle :

« Elle pouvait et *devait*[1] être l'année du chambardement. Elle n'en laisse pas même l'espoir à l'année future qui sera la première du Vingtième siècle...

« Ayant assidûment et si raisonnablement prophétisé, depuis quelques ans, la déconfiture, j'ai le droit d'être révolté. »

Jonas avait prophétisé sur l'ordre de Dieu, disant : « Encore quarante jours et Ninive sera détruite ! »

Mais les gens de Ninive firent pénitence « et Dieu se repentit du mal qu'il avait annoncé qu'il leur ferait, et il ne le fit pas. »

« Jonas en éprouva un vif chagrin et il en fut irrité :

« Il fit une prière à Yahweh et dit :

« Ah, Yahweh n'est-ce pas là ce que je disais lorsque j'étais encore dans mon pays ? C'est pourquoi je me suis d'abord enfui... car je savais que vous êtes un Dieu miséricordieux et clément, lent à la colère, riche en grâce... Maintenant... la mort vaut mieux pour moi que la vie ». Et Yahweh répondit : Fais-tu bien de

---

1. Ici, comme dans les autres passages cités, les mots en italiques sont soulignés par l'auteur.

t'irriter ? » Et obstinément Jonas répéta : « Je fais bien de m'irriter jusqu'à la mort ».

Dans le même esprit Léon Bloy pouvait aussi écrire : « Je meurs du besoin de la Justice ». D'elle nous sommes plus impatients que Dieu. Ayant si peu de temps à passer en ce monde chacun de nous en voudrait voir ici-bas l'éclatante victoire.

« En somme, dit-il encore, quelles furent mes prédictions, c'est-à-dire les intimes vœux de mon cœur, mes véhéments et profonds désirs d'une épilepsie de la terre ?... Simplement ceci. L'Exposition [de 1900]... ne devant pas avoir lieu, parce que Paris et les peuples auraient assez à faire de raidir leurs bras contre la mort. »

Cela écrit en 1900 ! Ces paroles, nous les lisions avec respect, quelle adhésion cependant notre jeunesse, notre ignorance pouvaient-elles y donner ?

Mais en 1914 ! Mais en 1941 !

Il écrit au mois d'août 1902 : « Les faits actuels sont certainement hideux, mais pas vulgaires quant à leur tendance... Je pense donc encore une fois que nous sommes au prologue d'un Drame inouï, tel qu'on n'aura rien vu de pareil depuis vingt siècles, et je vous convie à un certain degré de recueillement. »

De telles paroles, de tels vœux prophétiques abondent jusqu'à la fin dans l'œuvre de Léon Bloy. Mais nous ne connaissions encore de ses livres que *La Femme Pauvre*, et, lu aussitôt après, le livre dont les lignes citées plus haut sont tirées, — *Quatre ans de Captivité*.

En vérité Léon Bloy parlait comme un homme ayant une mission extraordinaire à remplir, que rien n'en doit détourner, qui est exactement déterminé à une seule chose, comme est l'instinct, et qui se hâte vers ce but unique à travers tous les obstacles, ainsi qu'un torrent qui arrache les rochers et les arbres de ses rives, et les emporte pêle-mêle avec la vase et les cailloux de son lit.

Barbey d'Aurevilly, dans l'intimité duquel Léon Bloy a vécu de 1867 à 1889, a dit de lui : « Léon Bloy est une gargouille de cathédrale qui verse les eaux du ciel sur les bons et sur les méchants ». Les eaux du ciel, — et la colère de Dieu aussi, et l'indignation personnelle du prophète également sur les uns et sur les autres. Parce que Dieu lui-même semble parler par hyperboles, et lorsqu'il punit les méchants par le déploiement des catastrophes d'Apocalypse, il semble oublier l'innocence des justes, il ne les met pas à l'abri. Ne sait-il pas que l'amour qu'il

tient pour eux en réserve les dédommagera infiniment, éternellement ? Et que ce qui est châtiment pour les uns n'est pour les autres qu'une
occasion de grandir dans la foi et dans l'espérance.

De tout cela nous n'avions qu'un sentiment
confus, mais qui a suffi à nous empêcher de juger
Léon Bloy comme nous l'aurions fait de n'importe quel autre écrivain.

De qui en effet aurions-nous pu lire sans indignation certains jugements intolérablement
sommaires comme ceux qu'il porte sur Tolstoï
par exemple. Ou les commentaires implacables,
si éloignés de toute justice humaine, dont il en-
toure des catastrophes comme l'incendie du
Bazar de la Charité, ou comme le tremblement
de terre de la Martinique, où 30.000 hommes
ont péri. Mais pour Bloy, comme dans l'absolu
des choses, c'est un blasphème que d'associer des
mots comme *Bazar* et *Charité.* Un blasphème
qui de soi appelle le feu du ciel. Personne n'y
pense sans doute, et la bonne volonté des uns
et des autres n'est pas en cause. Mais il est toutefois nécessaire que de temps à autre quelqu'un
réveille le sens des mots, et nous fasse ressou-
venir, à grands cris, du sens des choses elles-
mêmes.

Je ne veux pas dire que jamais Bloy n'a cédé tout humainement à la colère ou au ressentiment, ni même qu'il ait été absolument exempt des défauts de l'homme de lettres qui use parfois des mots ou des formes littéraires appelées par les préférences de l'art, sans se demander s'ils n'arrivent pas comme des flèches dans le cœur innocent du prochain. Non. Mais nous sentions qu'ici tout cela était sans importance, avait peut-être même une sorte de nécessité, dont nous ne voyions pas bien la raison, et qu'il fallait ne pas s'y arrêter ; c'eût été courir le risque de passer à côté de quelque chose de grand et d'unique.

De fait nous ne nous y arrêtions pas. Cette grâce de ne voir dans toute l'œuvre de Léon Bloy que Léon Bloy lui-même, la foi et l'amour divin dont il vivait réellement, nous a permis de ne pas commettre à son égard l'injustice tant de fois commise et dont il a tellement souffert toute sa vie, de ne voir en lui qu'un « pamphlétaire » et un « vociférateur », un orgueilleux et un « mendiant ingrat ».

Léon Bloy pouvait être à ses heures un pamphlétaire terrible et dur, injuste par erreur ; un « vociférateur » comme le sont les prophètes chargés de crier la vérité sur les toits, et qui le font avec la voix de leur nativité qui n'est pas nécessairement douce et agréable ; un mendiant comme saint François d'Assise ou saint Benoît Labre, persuadé comme eux qu'il est meilleur de donner que de recevoir, et acceptant, comme eux l'avaient choisie, la condition de celui qui reçoit, par amour pour un Dieu qui s'est fait pauvre pour nous. Mais ingrat et orgueilleux, Léon Bloy ne le fut jamais ! Personne n'a pu être vraiment son ami, et ne pas lui rendre ce témoignage. Il se peut que son œuvre à elle seule ne suffise pas toujours à le montrer à ceux qui ne l'ont pas connu. Cette exacte mise au point, l'amitié seule peut-être en est capable.

Après *la Femme Pauvre* nous avions donc lu un de ses « journaux ». Tous les deux ans Léon Bloy publiait son journal sous des titres divers. Celui-ci, qui venait de paraître, succédant au *Mendiant Ingrat* et à *Mon Journal,* s'intitulait *Quatre ans de Captivité à Cochons-sur-Marne.* Ce titre aussi pouvait induire en erreur. Plusieurs qui ne s'étaient pas donné la peine de lire le livre ont cru dur comme fer que Léon Bloy racontait là quatre années de prison ! Mais « *Cochons-sur-Marne* » c'est tout simplement la petite ville de Lagny, où Bloy a plus qu'ailleurs souffert la captivité de la misère, l'angoisse de la solitude, le dur contact de la médiocrité. C'est parce que nous avons lu les pages poi-

gnantes de ce journal que nous avons osé écrire
à Léon Bloy et lui envoyer une petite somme
d'argent, à l'exemple de certains de ses corres-
pondants. Sa misère était si grande que le moindre don était pour lui un secours urgent, reçu
avec reconnaissance.

Cette acceptation d'aumônes ne nous avait
pas plus choqués que les gros mots et les dures
invectives. Nous sentions qu'aucune vilenie n'é-
tait à la source de ces humiliations, non plus
qu'aucune grossièreté à celle de ces violences.
La pureté profonde et la grandeur des intentions illuminaient pour nous toutes les pages
des deux livres de Léon Bloy dont je parle ici.

« *La Providence est un Pactole de larmes* »[1]

La Providence est un Pactole de larmes.
Comment une telle parole ne nous aurait-elle
pas bouleversés ? Elle n'était pour nous que mystère, mais elle nous prenait le cœur. Parmi tant
d'aveux arrachés par la misère elle nous semblait les résumer tous en un langage obscur et
émouvant comme une musique très douce et
très douloureuse.

---

1. *Quatre ans de Captivité à Cochons-sur-Marne* (1900-1904).

Mais combien d'autres cris trop clairs, hélas, à toutes les pages de ce journal !

« Dieu voudra-t-il enfin que je vive de mon travail comme les autres ouvriers ? Grâce que je demande avec larmes depuis si longtemps ! »

Hélas, il écrit un livre par an, mais il n'a jamais que mille acheteurs, ce qui lui fait un revenu annuel de cinq cents francs ! et il est marié et père de deux enfants, — deux autres, les aînés, sont déjà morts des conséquences de la misère.

« 1er janvier 1901. — Réclamation du boulanger qui a choisi ce jour avec un grand tact. Telles sont nos étrennes. Dieu est attablé à ma souffrance comme à un festin. »

« 23 février. — On croyait mourir de faim lorsque dix francs arrivent d'un pauvre prêtre à qui je n'ai rien demandé. »

« 6 novembre. — Journée morne et froide. Sensation renouvelée de notre interminable misère. »

Et, le 1er décembre, ceci, qui déchire le cœur : « Je dors de misère. »

Je continue à citer, en omettant les dates :

« Lettre d'un très pauvre à qui je n'ai rien demandé et qui m'envoie dix francs. »

« Subi ce matin une de mes plus terribles crises de mélancolie... »

« A un homme pour qui Dieu est mort : Je vous informe que notre ami Marchenoir [c'est-lui-même] succombe. L'angoisse de ces derniers jours ne peut plus être supportée. Il ne reçoit aucune nouvelle, aucun secours, aucun signe de miséricorde. Il mange à peine et en pleurant. Le détraquement est tel qu'il en est à avoir soif de la mort... »

« Seigneur, je pleure très souvent. Est-ce de tristesse en songeant à ce que je souffre ? Est-ce de joie en me souvenant de vous ? Comment démêler cela et comment ne pas pleurer en essayant de le démêler ? »

« Je n'ose parler de mes réveils depuis quelque temps. Ce doit être une pitié pour Dieu et ses saints de voir tant souffrir une âme dès la première heure du jour. »

Mon Dieu était-il donc si difficile de porter remède à une telle misère, d'avoir pitié de telles larmes, de consoler une telle douleur ? Il est poignant de lire ceci à la date du 5 juillet 1902 :

« Tant qu'on peut on se cramponne, mais la

raison s'éteint. On ne voit plus. On est comme des bêtes qui gémissent couchées contre terre. Cette torture est vraiment intolérable. Si du moins on avait un signe, un faible secours, une parole de bonté ! Ayant été chercher un siphon d'eau de Seltz dans le voisinage, le vieux homme qui me servait m'a donné une tige de lys en fleurs prise à une gerbe qu'il venait de couper dans son jardin. Ces fleurs étaient à moitié flétries, n'importe. J'ai eu de la peine à retenir mes larmes, parce que j'avais l'illusion ou l'évidence d'un mouvement de bonté. »

Un signe, un faible secours, un moment de bonté. Cela, pensions-nous, nous pourrions le donner au vieil écrivain malheureux. Mais pourrions-nous lui donner davantage, ce dont réellement il avait besoin ?

« Je me souviens d'avoir vu très clairement, dans mon sommeil, ce que c'est que de secourir son prochain. J'ai senti d'une manière très intime — et je me désole de ne pouvoir l'exprimer — qu'il n'y a qu'un secours. C'est le don de soi absolu, tel que Jésus l'a pratiqué. Il faut se faire souffleter, conspuer, flageller, crucifier. Le lieu commun *se jeter dans les bras de quelqu'un*, éclaire cela singulièrement. Tout le reste est vanité. »

Nos premiers pas vers le Dieu inconnu

Pénétrés de respect pour ce « Pèlerin de l'Absolu » comme il se nommait lui-même, émus de sa misère qui nous apparaissait comme une grande injustice, parce qu'un écrivain d'un tel génie, un si grand artiste aurait dû pouvoir vivre de son travail, nous nous décidâmes à lui écrire, bien timidement, en lui envoyant un mandat de vingt-cinq francs. Nous lui disions notre admiration, mais aussi notre éloignement de toute foi religieuse.

Cette lettre Léon Bloy la reçut le 20 juin 1905, jour où l'Eglise catholique célébrait la fête, remise cette année-là à cette date, de saint Barnabé, le compagnon de saint Paul. La fête de saint Barnabé est toujours célébrée le onze juin, à moins qu'une fête plus importante ne survienne à la même date. En 1905 le 11 juin tombait le dimanche même de la Pentecôte. Nous n'avions aucune idée ni de la célébration des saints dans l'Eglise en général, ni de saint Barnabé en particulier. Mais la chose avait une grande importance pour Léon Bloy, comme nous l'apprîmes plus tard, et j'y reviendrai plus loin.

Voici la réponse de Léon Bloy à notre lettre :

« A Monsieur Jacques Maritain

Paris le 21 juin 1905

Messieurs,

Ou Monsieur et Mademoiselle, car ce nom de Raïssa m'étonne et me déconcerte, apprenez que je suis extrêmement touché de votre lettre si simple et si affectueuse.

Il ne me coûte rien d'avouer que les vingt-cinq francs ont été bien-venus. Le matin j'avais été forcé d'emprunter une petite somme à mon coiffeur pour le déjeuner de ma femme et de mes enfants.

Il n'y a pas d'outrecuidance dans le fait d'espérer mon amitié. Si vous êtes des âmes vivantes, comme je le suppose, le vieil homme douloureux que je suis vous aime déjà et sera content de vous voir.

Dans la liste des livres de moi que vous dites avoir lus, je ne remarque pas le *Mendiant Ingrat*, ni *Mon Journal*.

J'ai le plaisir de pouvoir vous les offrir et la poste vous les portera sans doute demain matin.

Vous remarquerez que ces deux livres forment avec *Quatre ans de Captivité* une trilogie.

C'est le récit non interrompu de douze ans de mon effrayante vie.

Lisez donc et dites-moi vos impressions. Je n'ai presque pas d'autre salaire que celui là : le suffrage de quelques êtres aimés de Dieu et qui viennent à moi.

J'aurai 59 ans dans un mois et je cherche encore mon pain, c'est vrai ; mais j'ai tout de même secouru et consolé des âmes et cela me fait un paradis dans le cœur.

Votre

Léon Bloy. »

A la date du 20 juin même, Léon Bloy avait noté dans son journal :[1]

« Est-ce vous, saint Barnabé, qui m'envoyez ces âmes ? Mystère d'affinité entre cet Apôtre et moi. Je m'étonnais, depuis le 11, jour de sa fête, de n'avoir pas, comme les autres années, senti sa main. Deux êtres (qui nous sont devenus bientôt comme des voisins du Paradis), un jeune homme et sa jeune femme s'offrent tout à coup, exprimant leur ambition de se rendre utiles, de devenir nos amis. »

La lecture du *Mendiant Ingrat* et de *Mon Journal* ne fit qu'augmenter notre admiration, notre pitié et notre désir de connaître davan-

---

1. *L'Invendable.*

tage ce grand Pauvre et cet extraordinaire écrivain. Le 23 juin il nous invite chez lui :

« Venez donc, dimanche ou tel autre jour prochain qu'il vous plaira. Vous êtes attendus avec amour.

Votre

Léon Bloy.

Itinéraire. Ayant pris l'omnibus de l'Odéon à Clichy, descendez à la place Clichy. De là transportez-vous par correspondance à la place Saint-Pierre où se trouve le funiculaire qui vous met en cinq minutes au Sacré-Cœur. Une dizaine de marches, la cour de la Basilique à traverser et vous voilà au n° 40 de notre rue. »

Le surlendemain nous suivîmes pour la première fois cet itinéraire. Que nous étions émus, que nous nous sentions téméraires, et quelle mystérieuse espérance élargissait nos cœurs ! De cette première visite Jacques a parlé lui-même dans la Préface aux *Lettres* de Léon Bloy *à ses filleuls,* et je crois ne pouvoir mieux faire que de le citer ici :

« Le 25 juin 1905, deux enfants de vingt ans montaient l'escalier sempiternel qui grimpe jusqu'au Sacré-Cœur. Ils portaient en eux cette détresse qui est le seul produit sérieux de la

culture moderne, et une sorte de désespoir actif
éclairé seulement, ils ne savaient pourquoi, par
l'assurance intérieure que la Vérité dont ils
avaient faim, et sans laquelle il leur était presque impossible d'accepter la vie, un jour leur
serait montrée. Une sorte de morale esthétique
les soutenait faiblement, dont l'idée du suicide,
— après quelques expériences à tenter, trop belles
sans doute pour réussir, — semblait offrir l'unique issue. En attendant ils se nettoyaient l'esprit, grâce à Bergson, des superstitions scien-
tistes dont la Sorbonne les avait nourris, — mais
en sachant bien que l'intuition bergsonienne
n'était qu'un trop inconsistant refuge contre le
nihilisme intellectuel logiquement entraîné par
toutes les philosophies modernes. Au demeurant
ils tenaient l'Eglise, cachée à leur vue par
d'ineptes préjugés et par les apparences de beaucoup de gens bien pensants, pour le rempart des
puissants et des riches, dont l'intérêt aurait été
d'entretenir dans les esprits les « ténèbres du
moyen âge ». Ils allaient vers un étrange mendiant, qui méprisant toute philosophie criait sur
les toits la vérité divine, et catholique intégrale-
ment obéissant condamnait son temps, et ceux
qui ont leur consolation ici-bas, avec plus de
liberté que tous les révolutionnaires du monde.
Ils avaient terriblement peur de ce qu'ils de-

vaient rencontrer, — ils n'avaient pas encore fréquenté de génies littéraires, et c'est bien autre chose qu'ils allaient chercher. Pas une ombre de curiosité n'était en eux, mais le sentiment le plus propre à emplir l'âme de gravité : la compassion pour la grandeur sans refuge.

Ils traversèrent un petit jardin d'autrefois, puis entrèrent dans une humble maison aux murs ornés de livres et de belles images, et se heurtèrent d'abord à une sorte de grande bonté blanche dont la noblesse paisible impressionnait, et qui était Mme Léon Bloy ; ses deux fillettes Véronique et Madeleine les contemplaient de leurs grands yeux étonnés. Léon Bloy semblait presque timide, il parlait peu et très bas, essayant de dire à ses jeunes visiteurs quelque chose d'important et qui ne les déçût pas. Ce qu'il leur découvrait ne peut se raconter ; la tendresse de la fraternité chrétienne, et cette espèce de tremblement de miséricorde et de crainte qui saisit en face d'une âme une âme marquée de l'amour de Dieu. Bloy nous apparaissait tout le contraire des autres hommes, qui cachent des manquements graves aux choses de l'esprit, et tant de crimes invisibles, sous le badigeonnage soigneusement entretenu des vertus de sociabilité. Au lieu d'être un sépulcre blanchi comme les pharisiens de tous les temps c'était une cathédrale calcinée, noircie. Le blanc était au dedans, au creux du tabernacle.

D'avoir franchi le seuil de sa maison toutes les valeurs étaient déplacées, comme par un déclic invisible. On savait, ou on devinait qu'il n'y a qu'une tristesse, c'est de n'être pas des saints. Et tout le reste devenait crépusculaire. »

A un moment où tout nous désespérait nous avions fait confiance à l'inconnu (que nous pensions sans majuscule), nous avions décidé de faire crédit à l'existence dans l'espoir qu'elle nous révélerait des valeurs nouvelles, capables de donner un sens à la vie, et voilà ce que la vie nous apportait ! Bergson d'abord, et puis Léon Bloy. Bergson qui s'acheminait à tâtons vers un but encore éloigné, mais dont la lumière nous atteignait déjà, lui et nous, à notre insu, comme les rayons d'une étoile à travers le désert des cieux inimaginables ; Léon Bloy qui vivait depuis de longues années uni à son Dieu par un indestructible amour qu'il savait éternel dans son essence. La vie l'apportait à notre rivage comme un trésor légendaire, immense, mystérieux.

Cependant nous ne nous sentions pas étrangers dans la maison de Léon Bloy ; c'est que nous passions de ses livres à sa vie sans dénivel-

lement. Tout, ici, était comme il l'avait dit :
Vraie la pauvreté, vraie la Foi, vraie l'héroïque
indépendance. Et lui, et sa femme, d'emblée
nous avaient adoptés. Nous redescendîmes des
hauteurs de la rue de la Barre et du Sacré-Cœur,
enrichis d'une amitié singulière, si douce de la
part de ce violent que dès ce premier jour de
notre rencontre toute crainte nous avait quittés,
et notre respect se fit audacieux et familier
comme celui des enfants qui se sentent aimés.

Naturellement d'avoir vu Léon Bloy on ne
pouvait plus s'en tenir à son égard à l'admiration littéraire, ni même à une compassion agissante. Il fallait aller plus loin, il fallait considérer les principes, les sources, les motifs d'une
telle vie. Cette fois la question de Dieu était
posée, et dans toute sa force, et dans toute son
urgence.

« Le Salut par les Juifs »

...ex quibus Christus secundum carnem.
Rom. IX, 5.

Nous lûmes ce livre à la campagne au mois
d'août 1905. Il nous découvrit saint Paul, et ces
extraordinaires chapitres IX, X et XI de l'*Epître aux Romains,* où Léon Bloy a pris l'épi-

graphe et le point d'appui dc l'exégèse du *Salut par les Juifs.*

« Je dis la vérité dans le Christ... j'éprouve une grande tristesse et j'ai au cœur une douleur incessante. Car je souhaiterais d'être moi-même anathème, loin du Christ, pour mes frères, mes parents selon la chair, qui sont Israélites, à qui appartiennent l'adoption, et la gloire, et les alliances, et la Loi, et le culte, et les promesses, et les patriarches et de qui est issu le Christ selon la chair. »[1]

Mais la première ligne de ce grand poème lyrique et scripturaire qu'est *le Salut par les Juifs* porte une référence plus haute encore :

« *Salus ex Judaeis est.* Le salut vient des Juifs. » Parole du Christ dans l'Evangile de saint Jean, chapitre IV, verset 22.

« J'ai perdu quelques heures précieuses de ma vie, — écrit Léon Bloy aussitôt après avoir cité ce verset — à lire comme tant d'autres infortunés, les élucubrations antijuives de M. Drumont, et je ne me souviens pas qu'il ait cité cette parole simple et formidable de Notre Seigneur Jésus-Christ, rapportée par saint Jean au chapitre quatrième de son Evangile.

---

1. *Epître aux Romains*, IX, 5.

« C'est quelque chose pourtant, ce témoignage du Fils de Dieu !... »

Ce témoignage fut d'abord pour moi la révélation de l'union des deux Testaments. On passe de l'un à l'autre par le Christ. C'est lui même qui le dit ; lui, le Salut, il vient des Juifs. L'Ancien Testament, par lui, se déverse dans le Nouveau qui ne lui est pas opposé, qui est son accomplissement, sa perfection.

L'exégèse scripturaire de Léon Bloy est, dans *le Salut par les Juifs,* un tourbillon de textes splendides : saint Paul, Jérémie, Ezéchiel et la Liturgie catholique parlent d'Israël en termes bouleversants, de sa vocation, de sa destinée mystérieuse entre toutes, de ses souffrances perpétuelles, de son présent d'ignominie, de son avenir de gloire. L'exégèse de Léon Bloy est une fournaise ardente de similitudes et de symboles qui prolongent à l'infini le sens des réalités divines. Le peuple juif est, par Bloy, tantôt abaissé au niveau de la plus répugnante vermine, tantôt exalté jusqu'à la ressemblance et la représentation du Paraclet.

« Israël est donc investi, par le privilège, de la représentation et d'on ne sait quelle très occulte protection de ce Paraclet errant dont il fut l'habitacle et le recéleur.

« Pour qui n'est pas destitué de la faculté de contemplation, les séparer semble impossible, et plus l'extase est profonde, plus étroitement soudés l'un à l'autre ils apparaissent... »

Léon Bloy était persuadé, et à juste titre, que son livre est, « à part l'inspiration surnaturelle... le témoignage chrétien le plus énergique et le plus pressant en faveur de la Racc Aînée, depuis le onzième chapitre de saint Paul aux Romains.

« Si leur faute, dit cet Apôtre, est la richesse du monde et leur diminution la richesse des nations, que sera-ce de leur plénitude ?

« Si leur perte est la réconciliation du monde, quelle sera leur assomption, sinon la vie d'entre les morts ? »

« *Le Salut par les Juifs,* qu'on croirait une paraphrase de ce chapitre de saint Paul, fait observer, dès la première ligne, que le Sang qui fut versé sur la Croix pour la Rédemption du genre humain, de même que celui qui est versé invisiblement, chaque jour, dans le Calice du Sacrement de l'Autel, est naturellement et surnaturellement du sang juif — l'immense fleuve du Sang Hébreu dont la source est en Abraham et l'embouchure aux Cinq Plaies du Christ. »[1]

---

1. *Le Salut par les Juifs.* Préface à la seconde édition.

Trente ans plus tard, le Pape Pie XI devait donner à cette vue surnaturelle son expression achevée en disant :

« Par le Christ et dans le Christ nous sommes de la descendance spirituelle d'Abraham. Non, il n'est pas possible aux chrétiens d'avoir aucune part à l'antisémitisme... Nous sommes spirituellement des Sémites. »[1]

Cependant, étant véritablement un homme du moyen âge, comme le prouvent à la fois et son splendide lyrisme, et son incapacité absolue à situer la science moderne et ses découvertes dans l'ordre purement rationnel (toujours il y soupçonne plus ou moins l'action du diable), et l'inadaptation de sa sensibilité à l'art contemporain, — étant un homme de ce moyen âge « énorme et délicat », sublime et parfois terriblement simplificateur, Léon Bloy a longtemps éprouvé l'horreur du moyen âge pour le peuple juif qu'il voyait toujours dans son action déicide, comme il voyait toujours actuelle la Passion du Rédempteur. Cette horreur que le moyen âge croyait sacrée, reposait sur l'idée qu'aucune théologie, aucune mystique ne peut

1. Discours du Pape Pie XI à des pèlerins belges, en septembre 1938.

justifier, d'un peuple tout entier et à perpétuité déicide.

Léon Bloy a exprimé une telle détestation en termes parfois inadmissibles.

Parce que, contrairement aux motifs de l'antisémitisme contemporain, cette détestation mystique a un motif désintéressé — « ce candide Moyen Age détestait les Juifs pour l'amour de Dieu » — Léon Bloy croyait pouvoir y céder sans scrupule. « La guerre aux Juifs, dit-il, ne fut jamais dans l'Eglise, que l'effort mal dirigé d'un grand zèle charitable, et la Papauté les abrita contre la fureur de tout un monde. » Il n'excusait pas cette fureur, mais il la magnifiait.

Léon Bloy a donc fait siens quelques sentiments de cet âge, il les a revêtus de son style flamboyant. Il a peint du peuple juif une image contrastée de lumières et de ténèbres. Il l'a volontairement parfois, noircie, cette image, afin que la lumière en apparût d'autant plus éclatante. En sorte que l'artifice de rhétorique apparaît parfois chez le prophète. Il y a ainsi dans le *Salut par les Juifs* de ces noirs qui sont de vraies taches. « Il est impossible de mériter l'estime d'un chien quand on n'a pas le dégoût instinctif de la Synagogue... »

Mais quoi, c'est là sa manière constante — c'est l'hyperbole ! Il n'est pas plus tendre pour les siens. Ne dit-il pas dans le même livre, parlant de l'Amour Créateur, le Saint-Esprit, que sa « fonction divine paraît être en vérité, depuis six mille ans, de nourrir les cochons chrétiens après avoir pâturé les pourceaux de la Synagogue » ? Impartialité adamantine.

A cet homme-là, parmi tous les autres, il sera beaucoup pardonné parce qu'il a beaucoup aimé, et parce que tout ce qu'il a pensé de divinement vrai, il a su l'exprimer avec une beauté incomparable. Nous lui pardonnions ses scories en faveur de la grandeur de ses intentions et de la magnificence de sa parole. Et puis, il ne connaissait pas les Juifs, après tout, — du moins à l'époque où il écrivit le *Salut,* — à part les trois Juifs fabuleux de Hambourg, qu'il ne pouvait s'empêcher de comparer malgré leurs guenilles, aux « Trois Patriarches sacrés Abraham, Isaac et Jacob, » figurateurs eux-mêmes des Trois divines Personnes de l'auguste Trinité.

Nous lui pardonnions, instinctivement avertis en sa faveur, comme les enfants parfois pardonnent aux grandes personnes qui les ont blessés, parce que, les enfants s'en sont bien aperçus, les grandes personnes ne savent pas toujours ce qu'elles disent, ni, d'après le témoignage de Dieu lui-même — ce qu'elles font.

Pour oublier certaines violences il suffisait de la beauté d'une page comme celle-ci, où resplendit la vision qu'il avait du moyen âge :

« On saignait avec Jésus, on était criblé de ses plaies, on agonisait de sa soif, on était souffleté à tour de bras en même temps que sa Majesté sacrée, par toute la racaille de Jérusalem, et les enfants même qui n'étaient pas nés tressaillaient d'horreur dans le ventre de leurs mères, quand on entendait le Marteau du Vendredi Saint.

« Les laboureurs sanglotants allumaient alors de pauvres flambeaux dans les sillons de la terre, pour que cette nourrice des malheureux ne fût pas infécondée par l'inondation des ténèbres qui s'épandaient du haut du Calvaire, ainsi qu'un interminable panache noir, au moment du Dernier Soupir.

« C'était, en ce jour, le grand Interdit de la compassion et du tremblement. Les oiseaux migrateurs et les fauves habitants des bois s'étonnaient de voir les hommes si tristes, et les animaux sans colère suaient d'angoisse au fond des étables en entendant pleurer leurs pasteurs.

« Les chrétiens à l'image d'un Dieu Très-Haut descendu si bas se reprochaient avec amertume de l'avoir fait à leur ressemblance et craignaient de regarder le plafond des cieux... »

Du reste, s'il s'agit de l'antisémitisme d'un Drumont, Bloy ne lui ménage pas l'expression de son mépris.

« Le Salut vient des Juifs ! Texte confondant qui nous met furieusement loin de M. Drumont !

« Le pamphlétaire de la *France Juive* peut se vanter d'avoir trouvé le bon coin et le bon endroit. Considérant avec une profonde sagesse et le sang-froid d'un chef subtil que le caillou philosophal de l'entregent consiste à donner précisément aux ventres humains la glandée dont ils raffolent, il inventa contre les Juifs la volcanique et pertinace revendication des pièces de cent sous.

« C'était l'infaillible secret de tout dompter, de tout enfoncer et de jucher son individu sur les crêtes les plus altissimes.

« Dire au passant, fût-ce le plus minable récipiendiaire au pourrissoir des désespérés : — Ces perfides Hébreux, qui t'éclaboussent, t'ont volé tout ton argent ; reprends-le donc, ô Egyptien ! crève-leur la peau, si tu as du cœur, et poursuis-les dans la mer Rouge.

« Ah ! dire cela perpétuellement, dire cela

partout, le beugler sans trêve dans des livres ou dans des journaux, se battre même quelquefois pour que cela retentisse plus noblement au-delà des monts et des fleuves ! Mais surtout, oh ! surtout, ne jamais parler d'autre chose, — voilà la recette et l'arcane, le médium et le retentum de la balistique du grand succès. Qui donc, ô mon Dieu ! résisterait à cela ?... Tous les livides mangeurs d'oignons chrétiens de la Haute et de Basse Egypte comprirent admirablement que la guerre aux Juifs pouvait être, — à la fin des fins, — un excellent truc pour cicatriser maint désastre ou ravigoter maint négoce valétudinaire.

« On a vu jusqu'à des prêtres sans nombre, — parmi lesquels devaient se trouver pourtant de candides serviteurs de Dieu, — s'enflammer à l'espoir d'une bousculade prochaine où le sang d'Israël serait assez répandu pour soûler des millions de chiens, cependant que les intègres moutons du Bon Pasteur brouteraient, en bénissant Dieu, les quintefeuilles et les trèfles d'or dans les pâturages enviés de la Terre de promission.

« L'entraînement avait été si soudain et si prodigieuse l'impulsion que, même aujourd'hui, nul d'entre eux ne paraît s'être avisé de savoir, — décidément, — s'il n'y aurait pas quelque danger grave, pour un cœur sacerdotal, à pétitionner ainsi l'extermination d'un peuple que l'Eglise Apostolique Romaine a protégé dix-neuf siècles ; en faveur de qui sa Liturgie la plus douloureuse parle à Dieu le Vendredi Saint ; d'où sont sortis les Patriarches, les Prophètes, les Evangélistes, les Apôtres, les Amis fidèles et tous les premiers Martyrs ; sans oser parler de la Vierge-Mère et de Notre Sauveur lui-même, qui fut le Lion de Juda, le JUIF par excellence de nature, — un Juif indicible ! — et qui, sans doute, avait employé toute une éternité préalable à convoiter cette extraction. »

Léon Bloy aurait eu en horreur d'être rangé parmi les antisémites ; et de peur d'être confondu avec eux, et aussi parce qu'avec les années il a mieux connu l'histoire et les souffrances des Juifs, et la pauvreté de la plupart d'entre eux, il a tenu à s'en expliquer clairement. *Le Salut par les Juifs* a été écrit en 1892, *Le Sang du Pauvre* et *le Vieux de la Montagne* vers 1910. Qu'on me permette de citer par anticipation quelques textes de ce dernier ouvrage :

« Ecrivant un livre sur le Pauvre[1] comment aurais-je pu ne pas parler des Juifs ? Quel peuple est aussi pauvre que le peuple juif ? Ah ! je

---

1. *Le Sang du Pauvre.*

sais bien, il y a les banquiers, les spéculateurs. La légende, la tradition, veulent que tous les Juifs soient des usuriers. On refuse de croire autre chose. Et cette légende est un mensonge. Il s'agit là de la lie du monde juif. Ceux qui le connaissent et le regardent sans préjugés savent que ce peuple a d'autres aspects et que, portant la misère de tous les siècles, il souffre infiniment. »

Et il ajoute :

« La pensée de l'Eglise dans tous les temps, c'est que la sainteté est inhérente à ce peuple exceptionnel, unique et impérissable, gardé par Dieu, préservé comme la pupille de son œil, au milieu de la destruction de tant de peuples, pour l'accomplissement de ses Desseins ultérieurs. L'abjection même de cette Race est un Signe divin, le signe très manifeste de la permanence de l'Esprit-Saint sur ces hommes si méprisés, qui doivent apparaître dans la Gloire du Consolateur à la fin des fins. »[1]

S'adressant directement aux tenants de l'antisémitisme il leur dit :

« Supposez que des personnes autour de vous parlassent continuellement de votre *père* et de votre *mère* avec le plus grand mépris et n'eussent pour eux que des injures ou des sarcasmes

---

1. *Le Vieux de la Montagne.*

outrageants, quels seraient vos sentiments ? Eh ! bien, c'est exactement ce qui arrive à Notre-Seigneur Jésus-Christ. On oublie ou plutôt on ne veut pas savoir que notre Dieu fait homme est un Juif, le Juif par excellence de nature, le Lion de Juda ; que sa Mère est une Juive, la fleur de la Race juive ; que tous ses Ancêtres ont été des Juifs, aussi bien que tous les Prophètes, enfin que notre Liturgie sacrée tout entière est puisée dans les livres Juifs. Dès lors, comment exprimer l'énormité de l'outrage et du blasphème qui consiste à vilipender la Race juive ?

« Autrefois on détestait les Juifs, on les massacrait volontiers, mais on ne les méprisait pas *en tant que race*. Bien au contraire, on les redoutait, et l'Eglise priait pour eux, se souvenant que saint Paul, parlant au Nom de l'Esprit-Saint, leur a tout promis et qu'ils doivent, un jour, devenir les astres du monde. L'antisémitisme, chose toute moderne, est le soufflet le plus horrible que Notre-Seigneur ait reçu dans sa Passion qui dure toujours, c'est le plus sanglant et le plus impardonnable parce qu'il le reçoit *sur la Face de sa Mère* et de la main des chrétiens. »[1]

Page décisive. Cependant nulle part Léon

1. *Le Vieux de la Montagne.*

Bloy n'aura parlé des Juifs aussi magnifiquement que dans le *Salut*.

« L'histoire des Juifs barre l'histoire du genre
humain comme une digue barre un fleuve, pour
en élever le niveau. »... Lui-même il devait nous
dire sa satisfaction que nous ayons remarqué
l'importance de cet admirable raccourci.

Il essaie de comprendre leur destin mystique
à la lumière de l'Ecriture. Mais celle-ci ne se
dévoile qu'aux prophètes. Et Bloy s'étonne
qu'on ne les demande jamais « à l'unique peuple d'où sont sortis tous les secrétaires des Commandements de Dieu. »

« L'interprétation des textes sacrés fut autrefois considérée comme le plus glorieux effort
de l'esprit humain, puisqu'au témoignage de
l'infaillible Salomon « la gloire de Dieu est de
cacher sa parole »...[1]

« J'ai la douleur de ne pouvoir proposer à
mes ambitieux contemporains un révélateur
authentique. La conciergerie des Mystères n'est
pas mon emploi et je n'ai pas reçu la consigna-
tion des Choses futures. Les prophètes actuels
sont, d'ailleurs, si complètement dénués de miracles qu'il paraît impossible de les discerner.

« Mais s'il est vrai qu'on en demande, par une

---

1. *Proverbes*. XXV, 2.

conséquence naturelle de ce point de foi qu'il doit en venir un jour, je voudrais savoir pourquoi on ne les demande jamais à l'unique peuple d'où sont sortis tous les Secrétaires des Commandements de Dieu. »

On se demande, à la lecture de certaines des pages du *Salut*, si Bloy lui-même n'est pas un de ces inspirés de Dieu ? Ainsi nous n'en pouvions lire sans une émotion bouleversante les sublimes chapitres xxx et xxxiii.

Le chapitre xxx est intitulé : *La première Spéculation Juive*. Il est une paraphrase imagée et savoureuse du dialogue inouï de Dieu et d'Abraham — « le Père élevé de la multitude ». Chapitre dix-huitième de la Genèse. La « spéculation juive » consiste ici à essayer d'obtenir, à force d'humilité, d'amour et d'audace, que Dieu pardonne à Sodome et à Gomorrhe, afin que « le juste ne soit pas enveloppé dans le châtiment de l'impie ». Six fois Abraham réitère ses supplications, et il obtient chaque fois un peu plus de miséricorde. A la fin le Seigneur s'engage à ne pas détruire ces villes si dix justes seulement s'y trouvent. On avait débuté à cinquante.

« Ici finit le dialogue de la Toute-Puissance vengeresse et de la Toute-Puissance suppliante. Le Seigneur ayant été vaincu six fois, s'en va et cesse de parler à Abraham, comme s'il craignait d'être vaincu une septième et de ne plus pouvoir se « reposer » ensuite dans sa justice. »

Trente-troisième et dernier chapitre du *Salut par les Juifs* : Israël parle. Israël c'est, pour Léon Bloy, tantôt Caïn, redevable du sang du Juste, tantôt la Croix elle-même, et comme elle l'instrument de notre salut par le Christ, et c'est en sa misère, en sa détresse, en ses larmes, la figure du Saint-Esprit.

« Cette Troisième Personne, c'est Moi, Israël, *prævalens Deo,* fils d'Isaac, fils d'Abraham, générateur et bénisseur des Douze Lionceaux établis sur les degrés du Trône d'ivoire pour la diligence du grand Roi et le perpétuel ombrage des nations.

« Je suis l'Absent de partout, l'Etranger de tous les lieux habitables...

« J'ai tellement la coutume de porter le Repentir effrayant de Jéhovah « ennuyé » d'avoir fait les hommes et les animaux (Genèse, VI, 7), et on voit si bien que je le porte en la même façon que Jésus a porté les péchés du monde !

« C'est pourquoi je suis poussiéreux d'un très grand nombre de siècles.

« Je parlerai néanmoins avec une autorité de

Patriarche inamissible, investi cent fois de l'élocution du Tout-Puissant.

« Je n'aime pas beaucoup mes fils de Juda et de Benjamin pour avoir crucifié le Fils de Dieu. Ils sont bien la postérité de leurs deux ancêtres, engendrés de moi, que j'ai comparés jadis à deux animaux féroces.

« Mais ils ont subi leur châtîment et je n'ai pas refusé d'être l'époux et le titulaire de leur excessive réprobation.

« Me souvenant d'avoir perfidement spolié mon frère Ésaü, il était selon la justice que j'assumasse, jusque dans ma dernière descendance, la complicité d'une perfidie qui préparait le Salut du genre humain en me dépouillant moi-même de la domination sur tous les empires.

« Il est vrai que ces misérables enfants ne savaient pas qu'ils accomplissaient ainsi la *translation* des images et des prophéties, et que, par leur crime sans nom ni mesure, s'inaugurait le Règne sanglant de la Seconde Personne de leur Dieu, succédant à la Première qui les avait tirés de la douloureuse Egypte.

« Il faut bien qu'arrive désormais l'avènement de la Troisième dont l'EMPREINTE *est sur ma Face,* par qui tous les voiles seront déchirés dans tous les temples des hommes, et tous les troupeaux confondus dans l'Unité lumineuse.

« Toutefois ces choses n'arriveront pas avant qu'on ait vu « l'abomination de la désolation dans le Lieu Saint », c'est-à-dire avant que les chrétiens, réprobateurs si constants de mon infidèle progéniture, n'aient consommé à leur tour, avec un acharnement plus grand, les atrocités dont ils l'accusent.

« Ecoutez, ô chrétiens, les paroles d'Israël confident de l'Esprit de Dieu.

« *Celui qui est* ne sait pas autre chose que se répéter Lui-même, et le Seigneur des Seigneurs a toujours soif de souffrir...

« Quand le Promis appelé Consolateur viendra prendre possession de son héritage, il faudra nécessairement que le Christ vous ait quittés, puisqu'il déclara que ce Paraclet ne pourrait venir s'il ne s'en allait auparavant.[1]

« Il sera donc retiré de vous à la distance d'un jet de pierre,[2] ce Rédempteur impuissant à vous réveiller, et vos âmes seront désertes de lui, comme les tabernacles de ses autels au jour mortifié du Vendredi lamentable.

« En cet abandon de Celui qui est votre force et votre espoir, l'univers tout fumant d'effroi

1. *Jean.* XVI, 7.
2. *Luc.* XXII, 41.

contemplera l'irrévélable Tourment de l'Esprit-Saint persécuté par les membres de Jésus-Christ.

« La Passion recommencera, non plus au milieu d'un peuple farouche et détesté, mais au carrefour et à l'ombilic de tous les peuples, et les sages apprendront que Dieu n'a pas fermé ses fontaines, mais que l'Evangile de *Sang* qu'ils croyaient la fin des révélations était, à son tour, comme un Ancien Testament chargé d'annoncer le Consolateur de *Feu*.

« Ce Visiteur inouï, attendu par moi quatre mille ans, *n'aura pas d'amis* et sa misère fera ressembler les mendiants à des empereurs. »

Léon Bloy parle par Israël, et c'est « la voix chargée de faire descendre la justice », la voix d'un prophète qu'on entend ; Léon Bloy, assoiffé de la manifestation de la gloire de Dieu, absolument comme l'ont été les Prophètes de l'Ancien Testament. Peut-être parlaient-ils ainsi les prophètes des premières assemblées chrétiennes ? dont saint Paul disait dans l'*Epître Ière aux Corinthiens* : « Celui qui prophétise édifie l'Eglise de Dieu. » (XIV, 5).

Certes nous ne pouvions à cette première lecture, ignorants comme nous l'étions et du judaïsme et du christianisme, comprendre tout le sens du symbolisme complexe de Léon Bloy. Mais la beauté en était évidente. Et ces gémissements du cœur inconsolé de l'injustice, ces aspirations à la gloire de la vérité, ne les portions-nous pas en nous à quelque degré, suffisamment pour les reconnaître dans le cœur du vieil écrivain douloureux.

Plus tard il nous a expliqué bien des choses du texte magnifique et obscur que j'ai cité. Il ne s'y agit ni de la manifestation d'un nouvel Evangile, ni d'un avènement du Saint-Esprit sous forme visible et personnelle, comme on l'a dit quelquefois très faussement.

Nous avons compris que Léon Bloy pensait à une Passion invisible, dans l'Eglise, dans les cœurs, du Consolateur que nous affligeons sans cesse, et de plus en plus cruellement, — du Saint-Esprit qui se lamente en nous « avec des gémissements inénarrables ».[1]

Mais c'est aujourd'hui seulement, devant l'indicible Passion de l'Amour affligé dans le cœur des hommes et parmi les nations, et à la lumière des événements actuels, que nous pouvons réellement nous rendre compte de la vision prodigieusement exacte que Léon Bloy a eue de la misère de son temps et du nôtre. La

1. Saint Paul. *Rom.*, VIII, 26.

chrétienté fondée au prix du sang des Martyrs tombe en poussière. L'Eglise, qui a la charge du genre humain tout entier, est comme une mère abandonnée qui n'a plus le pouvoir de protéger ses enfants. Et qui donc, parmi ceux qui conduisent les nations, pense encore aux droits de la vérité et de la justice, de la miséricorde et de la pitié ?

La Passion du Saint-Esprit, annoncée par Léon Bloy, a déjà commencé dans le cœur des pauvres et des opprimés, et de tous ceux qui souffrent persécution sans qu'aucune voix inspirée crie la justice.

Si notre monde continue sa descente aux Enfers, quand les hommes auront exterminé la pitié, « le dégoût tuera jusqu'à la colère », et l'Esprit-Saint, « ce Proscrit de tous les Proscrits, sera condamné silencieusement par des magistrats d'une irréprochable douceur. »

La Passion d'Israël sera l'image réflétée de cette agonie de l'Amour. Et dans cette indicible communauté de souffrances Israël reconnaîtra Celui dont il est le symbole. Ce sera sa « résurrection d'entre les morts ». Affirmée par saint Paul et prédite par Ezéchiel dont Léon Bloy cite pour terminer le chapitre trente-septième, et dont voici les derniers versets :

Léon Blum

« Et il me dit : « Fils de l'homme, ces ossements, c'est toute la maison d'Israël. Voici qu'ils disent : Nos os sont desséchés, notre espérance est morte, nous sommes perdus ! C'est pourquoi prophétise et dis-leur : Ainsi parle le Seigneur Yahweh : Voici que je vais ouvrir vos tombeaux, et je vous ferai remonter hors de vos tombeaux, ô mon peuple, et je vous ramènerai sur la terre d'Israël. Et vous saurez que je suis Yahweh, quand j'ouvrirai vos tombeaux et que je vous ferai remonter hors de vos tombeaux, ô mon peuple. Je mettrai mon Esprit en vous, et vous vivrez ; et je vous donnerai du repos sur votre sol, et vous saurez que moi, Yahweh, je dis et j'exécute, — oracle de Yahweh ! »

J'écrivis à Léon Bloy une lettre enthousiaste dont j'ai tout à fait oublié les termes. Il me répondit :

« Paris, 25 août 1905.

Notre chère amie Raïssa,

Pour commencer, je ne puis que vous écrire ce que j'écrivais le 29 juin 1903 (*Quatre ans*, p. 31), à un pauvre musicien, qui m'avait parlé, lui aussi, avec enthousiasme du *Salut par les Juifs.*

« Alors vous êtes vraiment mon frère et vraiment l'ami de Dieu. *Celui qui aime la grandeur et qui aime l'abandonné, reconnaîtra la grandeur, si la grandeur est là.* Cette parole magnifique est d'Ernest Hello, qui fut un abandonné. »

Il faut donc, Raïssa, que vous soyez vraiment ma sœur pour m'avoir fait cette charité. Quand on aime le *Salut,* on n'est pas seulement mon ami, on est, par force, quelque chose de plus. Car il est extrêmement fermé, ce livre qui représente, en un raccourci étonnant, des années de travaux, de prières et de douleurs qui ont été, je crois, hors de mesure, tout à fait hors de mesure.

A une époque intellectuelle, il eût été remarqué, au moins pour la forme littéraire, le plus grand effort d'art de toute ma vie.

Je l'avoue très-ingénûment, j'avais espéré, alors, en 92, que des hébreux instruits et profonds verraient l'importance de ce livre chrétien, — *paraphrase du sublime chapitre onzième du juif saint Paul aux Romains,* — l'unique, depuis dix-neuf siècles, où une voix chrétienne se soit fait entendre pour Israël, affirmant avec la science et l'éloquence nécessaires, qu'il n'y a pas de prescription pour les Promesses divines et que tout doit appartenir, en fin de compte, à la Race qui a engendré le Rédempteur. Je me trompais...

Maintenant, je veux essayer de répondre à la plus grave partie de votre lettre.

« Je ne suis pas chrétienne, dites-vous. Je ne sais que chercher, en gémissant. » Pourquoi continueriez-vous à chercher, mon amie, puisque *vous avez trouvé* ? Comment pourriez-vous aimer ce que j'écris, si vous ne pensiez pas et ne sentiez pas comme moi ? Vous n'êtes pas seulement chrétienne, Raïssa, vous êtes une chrétienne brûlante, une fille du Père très aimée, une épouse de Jésus-Christ au pied de la Croix, une servante amoureuse de la Mère de Dieu dans son antichambre de Reine des mondes...

Seulement vous ne le savez pas, ou plutôt vous ne le saviez pas et c'est pour l'apprendre que vous nous avez été envoyée...

... L'importance, la DIGNITÉ des Ames est inexprimable, et vos âmes à vous, Jacques et Raïssa, sont si précieuses qu'il n'a pas fallu moins que l'Incarnation et le supplice de Dieu pour les racheter — exactement comme la mienne... *Empti estis pretio magno*, vous avez été achetés à grand prix. Cela mes amis, c'est la clef de tout, dans l'Absolu. On a été racheté, comme des esclaves très-précieux, par l'ignominie et la torture volontaire de Celui qui a fait le ciel et la terre. Quand on sait cela, quand on le voit et qu'on le sent, on est comme des Dieux et on ne s'arrête pas de pleurer.

Votre désir de me voir moins malheureux, bonne Raïssa, c'est une chose qui était en vous, profondément, dans votre être substantiel, dans votre âme qui prolonge Dieu, longtemps avant la naissance de Nachor qui fut grand-père d'A-braham. C'est strictement le désir de la Ré-demption, accompagné du pressentiment ou de l'intuition de ce qu'elle a coûté à Celui qui pouvait payer. C'est le Christianisme cela, et il n'y a pas d'autre manière d'être chrétien.

Agenouillez-vous donc au bord de ce puits et priez ainsi pour moi :

— Mon Dieu, qui m'avez achetée à grand prix, je vous demande très humblement de faire que je sois en union de foi, d'espérance et d'a-mour avec ce pauvre qui a souffert à votre ser-vice et qui souffre peut-être mystérieusement pour moi. Délivrez-le et délivrez-moi pour la vie éternelle que vous avez promise à tous ceux qui seraient affamés de vous.

Voilà, très-chère et très-bénie Raïssa, tout ce

que peut vous écrire aujourd'hui un homme vraiment malheureux, mais comblé de la plus sublime espérance pour lui-même et pour tous ceux qu'il porte dans son cœur.

Votre

Léon Bloy. »

CHAPITRE VI

L'APPEL DES SAINTS

La Cathédrale

Au retour de la campagne nous nous arrêtâmes trois jours à Chartres pour visiter sa Cathédrale.

Nous eûmes la chance, dès le premier jour, alors que nous étions plantés le nez en l'air devant le Portail Royal, d'intéresser un jeune homme un peu plus vieux que nous, un archéologue qui étudiait l'architecture du moyen âge, et qui, conscient sans doute de notre ignorance, s'offrit à nous aider à lire ce grand livre de la chrétienté.

Nous avons, hélas, oublié son nom. Nous savons seulement qu'il était membre d'une de ces sociétés savantes qui maintiennent dans les provinces françaises un niveau si élevé de culture, et qu'il nous guida avec une bonté digne d'un envoyé du Seigneur. Notre gratitude va aussi au gardien-photographe de la Cathédrale, M. Houvet, qui commençait en ces années-là son admirable inventaire des trésors de pierre et de verre au milieu desquels il vivait, et dont il a publié plus tard de précieux albums de photographies.

Ce furent donc trois jours de contemplation très précise de l'architecture, de la statuaire et des vitraux de la plus française des églises, et qui est toujours restée pour nous la plus belle cathédrale du monde. En vérité nous l'avons épelée comme une Bible.

Depuis cette première visite nous retournâmes plusieurs fois à Chartres, et chaque fois la Cathédrale nous a présenté un aspect nouveau. Tantôt elle n'était que beauté, tantôt elle n'était que piété. La dernière fois, — vous vous en souvenez, Arthur Lourié ? — nous en fîmes le tour par des balcons extérieurs, à une grande distance du sol, à travers un enchevêtrement incroyable d'arcs et de contreforts. Et elle nous a laissé le souvenir et l'image d'un Vaisseau fantastique et tout-puissant dans le plein-ciel de France.

Mais à son premier aspect, dans son langage plastique elle fut pour nous une maîtresse de théologie, d'histoire sainte et d'exégèse. Elle nous répéta ce que déjà venait de nous dire *le Salut par les Juifs* : que les deux Testaments sont unis en la personne du Christ ; que l'Ancien préfigure le Nouveau, qu'il en est la base, comme le Nouveau est l'accomplissement et la couronne de l'Ancien.

La Cathédrale nous disait cela par les vitraux gigantesques où les quatre grands Prophètes portent sur leurs épaules les quatre Évangélistes. Elle le disait par les statues majestueuses représentant les Rois et les Patriarches et les Apôtres, et David et Salomon, et le Baptiste qui porte sur son cœur un agneau en médaillon.

Le livre de la Cathédrale nous dit des choses sublimes et familières et tendres. Je pense par exemple au groupe sculpté qui représente « la création de l'homme ». Le Christ le façonne avec amour, ce premier homme de qui la tête encore indécise repose sur les genoux de Dieu. Je vois encore le beau visage pensif de « Dieu créant le monde ». Il n'y a que ce visage auguste ; la création est tout entière encore dans la pensée de Dieu, mais on en devine la beauté intacte, elle transparaît dans l'expression des traits divins, comme le fond d'un lac aux eaux très pures.

Et les vitraux de Chartres ! Qui n'en connaît la beauté ? Nous les vîmes d'en bas et d'en haut, faisant intérieurement tout le tour de la nef par le triforium. Nous étions rassasiés de splendeur. Alors, seuls, ayant donné congé à notre guide improvisé, nous allions nous reposer auprès des images naïves des autels ; auprès de la Vierge Mère vêtue de satin et d'or, illuminée de la flamme des cierges et des lampes à huile. Là tout était si humble, si calme. La majesté du lieu, la présence terrible des Mystères, sensible au cœur, se fondait en un pur repos d'amour, et de simplicité. Et nous étions inclinés à croire que l'unité et l'harmonie de tant de beautés si hautes ne pouvaient avoir pour fondement que l'unité de la vérité.

C'est peu de temps après, je crois, que faisant un voyage, et regardant par la fenêtre du wagon défiler des forêts, j'eus pour la seconde fois le sentiment de la présence de Dieu. (La première fois, ce sentiment, violent et fugitif, je l'avais eu en lisant Plotin.)

Je regardais, je ne pensais à rien de précis. Subitement il se fit en moi un profond changement, comme si, de la perception des sens je fusse passée à une perception tout intérieure. Les arbres qui fuyaient étaient devenus tout à coup plus grands qu'eux-mêmes. Ils prirent une dimension prodigieuse en profondeur. Toute

la forêt sembla parler et parler d'un Autre,
devint une forêt de symboles, et parut n'avoir
d'autre fonction que de *désigner* le Créateur.

Jacques, qui devait plus tard faire allusion
dans un de ses livres[1] à cette impression si vive-
ment ressentie, y trouve un cas d' « expérience métaphysique »... « A la vue d'une chose
quelconque, dit-il, une âme saura en un instant
que ces choses ne sont pas par elles-mêmes et
que Dieu est ». Il m'est souvent arrivé aussi,
avant de connaître les choses de la foi, d'expé-
rimenter par une intuition subite la réalité de
mon être, du principe profond, premier, qui
me pose hors du néant. Intuition puissante dont
la violence parfois m'effrayait et qui la première
m'a donné la connaissance d'un absolu métaphysique.

Mon dessein n'est pas de noter dans ces « mémoires » ce qui ne touche et n'intéresse que
moi seule ; mais ce que je viens de dire je le
crois utile pour l'intelligence de ce qui va
suivre.

Jacques et Véra suivaient chacun leur propre
chemin dans ces approches de la foi qui ressemblent à un crépuscule du matin, où les lueurs
de l'aube paraissent indécises, et où, sans que

---

1. *Les Degrés du Savoir.*

l'âme le sache, elle est attirée déjà, et agie plus qu'agissante, tandis qu'elle s'agite en recherches et tentatives intérieures, en doutes et en espérances. C'est de mon chemin à moi que je dis quelque chose en ces souvenirs, et de ce qui nous était commun à tous les trois. Ce que Jacques avait à dire à ce sujet, on le trouve en vérité tout le long de son œuvre, dans les livres qu'il a écrits. Je veux noter cependant que Jacques me dit plus tard que tout avait changé pour lui lorsque pensant qu'il était loyal d'éprouver par un acte de l'âme les promesses du Dieu inconnu, il s'était mis à prier de la façon suivante : « Mon Dieu si vous existez, et si vous êtes la vérité, faites-le moi connaître », puis un jour, s'était décidé à se mettre à genoux pour réciter pour la première fois l'oraison dominicale.

La Beauté de la Sainteté

De retour à Paris Jacques reprit ses études ; je suivis encore les cours de Bergson cette année-là. Mais bientôt ma santé s'altéra gravement, elle n'avait jamais été tout à fait bonne depuis un an, et je dus renoncer à tout travail régulier. Le temps de mes lectures augmenta naturelle-

ment, à ma grande joie. Nos visites aux Bloy
devinrent fréquentes. Nous les aimions chaque
jour davantage, et jamais nulle part l'hospitalité
ne nous a paru si douce que dans leur misérable petite maison du 40 de la rue du Chevalier
de La Barre, à Montmartre. On y mangeait des
choses les moins coûteuses ; quoique, par principe, le vin ne manquât jamais. Il n'y avait ni
nappe ni serviettes, un tout petit nombre d'as-
siettes, mais l'invitation à partager leur repas
était toujours faite avec une douceur comme
substantielle, et malgré la crainte d'être à charge
à leur indigence il était impossible de refuser.
Le veston de Léon Bloy était soigneusement
boutonné jusqu'en haut, le plus souvent à cette
époque aucun col de chemise ne dépassait, on
se rendait compte qu'il n'y avait pas de chemise.
Le peu d'aliments qui paraissaient sur la table
étaient servis par Madame Bloy avec une bonté
majestueuse. Cette femme, qui avait épousé
Léon Bloy parce qu'il était pauvre, avait toute la
grandeur de caractère nécessaire à une telle
vocation. Celle qui devait devenir Madame
Léon Bloy, — Jeanne Molbeck, fille du poète
danois — assistait un jour à une réception chez
les Coppée. Elle vit entrer un visiteur dont l'aspect la frappa. Ayant demandé à Mlle Coppée

qui il était, — « C'est un mendiant ! » fit Mlle Coppée. Et Jeanne Molbeck répondit dans son cœur : « Je l'épouserai. »

Nous partagions le festin royal de leur charité en les écoutant parler des merveilles de Dieu. Parfois leur fille aînée, Véronique, une fillette d'une dizaine d'années, chantait de naïves et émouvantes mélodies dont elle avait composé les paroles et la musique. Bloy se plaisait aux chants de cette enfant mystérieusement douée et dont l'esprit de recueillement le frappait. La conversation était animée, spirituelle et libre, joyeuse en dépit de la constante mélancolie de Bloy. La confiance fraternelle, la simplicité, l'esprit évangélique et l'esprit français établissaient entre les cœurs une communication douce et légère et leur donnait l'illusion de se reposer un moment dans un monde plus heureux que « cette planète ». Léon Bloy nous lisait souvent, de sa voix admirablement belle, les dernières pages qu'il venait d'écrire, dont l'encre était encore toute fraîche. Sa vie était simple comme son cœur. Il allait lui-même souvent au marché de son quartier faire les maigres emplettes destinées à la table familiale.

Le 4 novembre Léon Bloy note dans son

Journal[1] : « Jacques et Raïssa. On ne sait comment dire ce qu'on éprouve les uns pour les autres. Ce temps est pour nous au point de vue *amitié,* ce que les *Actes des Apôtres* sont pour le Christianisme. » Le 30 octobre il avait écrit à Jacques :

« Mon cher Jacques,

Une dépêche est ordinairement redoutable, surtout dans ma situation, le malheur ayant, au contraire de la Justice, des pieds agiles et même des ailes. Mais de vous, je n'ai à craindre aucune peine et reconnaissant d'abord votre écriture, c'est ce que je me disais en ouvrant votre lettre.

Evidemment, il y a quelque mystère, ainsi que je vous l'écrivais. Ce n'est pas naturel d'avoir des amis comme ça, surtout quand on a travaillé, trente ans, à se faire des ennemis. Il est vrai que je suis de ceux à qui tout peut arriver. Il m'arrivera peut-être un jour, d'être fait Pape, ce qui occasionnera des difficultés avec ma femme qui a tout prévu, excepté ça.

Eh bien ! quand même, il me semble que je n'aurai rien vu d'aussi étonnant que vos chères amitiés, Jacques et Raïssa, qui nous donnez votre cœur, comme on donne son sang à Notre

---

1. *L'Invendable.*

Seigneur Jésus-Christ, quand on a des âmes de martyrs.

Que puis-je vous dire, sinon que le pauvre vieux Léon Bloy est vraiment consolé par vous et qu'il vous chérit comme des enfants qu'il aurait eus de la belle Providence de Dieu.

Votre

Léon Bloy. »

Nous sommes heureux à cette époque où rien cependant n'est encore clair pour nous. Des prémices de lumière nous sont données, nous le sentons. Une constellation bénéfique règne dans notre ciel. Plotin, Pascal, Péguy, Bergson, Léon Bloy, baignent nos âmes de leur rayonnement spirituel. Il est à remarquer que Léon Bloy ignore Péguy et Bergson, qui l'ignorent aussi. Nous les réunissons en nous, en les aimant. Leurs influences sont harmonieuses, leurs dominantes sont les mêmes. Nos ténèbres s'éclairent doucement, lentement, à leurs lumières. Véra est avec nous dans notre grand secret. Ce n'est pas que nous cachions jalousement nos relations avec Marchenoir[1]. Au contraire nous parlons de lui à nos parents, et à Péguy. Et

---

1. C'est le nom que Léon Bloy se donne dans *Le Désespéré* et *La Femme Pauvre*.

Péguy commence à en prendre de l'ombrage.
Le secret ne concerne que notre recherche de
la vérité dans cette phase qui exige le recueillement de toutes nos forces dans le silence et dans
la paix. Pas de controverses. Nous n'en avons
pas avec Bloy. Nous ne discutons pas avec lui.
Il n'argumente pas avec nous. D'un tacite accord Jacques et moi ne demandons à Léon Bloy
que l'exemple de sa vie, une communication
confiante, tranquille, dans les termes qui sont
les siens, de ce qu'il croit, de ce qu'il aime, de
ce qu'il tient pour l'absolue vérité.

Nous nous réservons d'examiner ensemble,
chez nous, ces données de la vie, de la doctrine,
et des sources du catholicisme. Une certaine
humilité nous vient de notre incroyable ignorance de cet univers si complexe de la religion,
et dont la beauté commence à se dévoiler à nos
yeux. Nous confrontons avec lui ce que la science nous offre de plus assuré, les découvertes
philosophiques de Bergson, nos plus constantes
et plus profondes aspirations.

Peu à peu la hiérarchie des valeurs spirituelles, intellectuelles, scientifiques, nous apparaît,
et nous commençons à comprendre qu'elles peuvent ne pas être ennemies les unes des autres.
A des degrés divers toutes participent au mys-

tère où aboutit finalement toute science, toutes participent de la lumière d'où descend toute connaissance. Et nous voyons clairement que la vérité des unes ne saurait être ennemie de la vérité des autres. Une fois reconnues inopérantes les objections du scepticisme rationaliste et du positivisme pseudo-scientifique qui, détruisant la valeur de la raison, détruisent eux-mêmes la valeur de tout argument situé dans la sphère de leur vision et dirigé contre l'affirmation d'un absolu religieux, la véracité de la foi devenait une hypothèse plausible. Nous pensons que la Foi elle-même pouvait être considérée comme un don supérieur d'intuition, et que, faisant appel à l'idée d'une vérité absolue elle devait impliquer aussi et permettre de dégager une doctrine de la connaissance assurant les prises de l'intelligence humaine sur la réalité.

L'intérêt ni la difficulté ne résidaient donc pour nous dans la solution des objections que l'on oppose au tout indivisible de la doctrine catholique. La difficulté était d'entrer dans le mystère propre de cette doctrine ; de trouver le centre à partir duquel tout s'y organise, tout s'y oriente. Les voies de l'expérience religieuse n'étaient pas à notre portée, puisque la foi leur est prérequise. Et comment adhérer à des propositions dogmatiques qui présupposent une enquête rationnelle et dont le contenu, nous disait-on, tout en étant supérieur à la raison est souverainement raisonnable, mais auxquelles on n'adhère que par le motif et sous la lumière de la foi ; — adhésion d'une forme singulière, étrangère à toute forme d'adhésion connue de nous, philosophique, ou scientifique, ou de simple opinion.

Des mois devaient passer ainsi, et nous serions sans doute toujours restés devant ces difficultés insurmontables si Léon Bloy avait voulu employer avec nous une apologétique de démonstration. Sur quelles bases ? Notre raison était bonne à détruire, non pas à édifier, et notre confiance en elle était très ébranlée, tout autant qu'en la critique historique. Mais il n'y pensa même pas. Il nous mit devant le fait de la sainteté. Simplement, parce qu'il les aimait, parce que leur expérience lui était proche au point qu'il ne pouvait les lire sans pleurer, il nous fit connaître les saints et les mystiques.

Combien de fois ne nous a-t-il pas lu, le visage ruisselant de larmes, des pages de sainte Angèle de Foligno, dans la belle traduction d'Ernest Hello ! — « Ce n'est pas pour rire que je t'ai aimée », ces paroles de Dieu à sainte Angèle, nous sentions que Léon Bloy en avait expéri-

menté la portée. Il nous parlait aussi beaucoup
de Ruysbroeck l'Admirable, et bien souvent
nous redisait en pleurant cette parole de lui :
« Si vous saviez la douceur que Dieu donne,
et le goût délicieux du Saint-Esprit ! »

Sans la confiance que nous avions en Léon
Bloy aurions-nous jamais consenti à ouvrir un
de ces livres ? Ils avaient si mauvaise réputation
à la Sorbonne, qui commençait à les étudier,
mais avec quelles préventions, et quelle méfiance ! Tout d'abord Léon Bloy nous donna
à lire les trois gros volumes de Schmœger sur
la vie et les visions d'Anne-Catherine Emmerich, une religieuse de Dulmen en Rhénanie,
une des plus grandes mystiques du XIXᵉ siècle
qui en a compté beaucoup. Le poète Brentano
lui avait consacré plusieurs années de sa vie afin
de recueillir ce qu'elle disait pendant ses extases.
Les paroles sont de Catherine Emmerich, les
écrits sont de Brentano. Il y a là une difficulté
pour l'historien. Quelle est la part de l'un et
de l'autre ? Brentano assure qu'il a été un secrétaire scrupuleux et fidèle. Il semble cependant
qu'il a lui-même, en toute candeur, ajouté bien
des choses aux descriptions historiques et topo-
graphiques qui forment le cadre extérieur des
visions d'Anne-Catherine Emmerich concernant la vie du Christ et de la Vierge. Mais ce

qui incline à croire à sa fidélité pour tout ce qui regarde l'essentiel, c'est d'abord sa foi elle-même en Anne-Catherine, son dévouement pour elle, et c'est aussi la beauté religieuse des visions et illuminations spirituelles qu'il rapporte. Cette beauté est si grande qu'il faut bien qu'il y ait au moins un mystique en cette affaire, ou Catherine ou Brentano. Nul poète n'aurait pu donner de la vie intérieure d'une compatiente à la Passion du Christ un tableau d'une telle profondeur, d'une telle cohérence, d'une telle valeur théologique. D'un autre côté tout ce que l'on sait de la vie de Catherine Emmerich présente les signes de la vie mystique la plus élevée et la plus authentique.

Les *Révélations* d'Anne Catherine Emmerich nous donnaient du catholicisme une image touffue, vivante, pathétique et familière cependant. Elles nous apprenaient des choses innombrables, à nous qui les ignorions toutes, de l'histoire, des dogmes, de la théologie, de la liturgie, de la mystique catholiques. Un catéchisme dans sa sobriété ne nous aurait sans doute rien fait comprendre alors. Notre ignorance avait le plus grand besoin du secours des images, de cette sorte de portrait de l'Eglise tracé dans les quatre dimensions de la hauteur et de la longueur, de la largeur et de la profondeur. Et tout à la

fois nous était montré le catholicisme héroïque
— la sainteté dans ses épreuves terribles, dans
son humilité et sa divine charité, dans son ascèse,
et dans la béatitude où elle s'accomplit, dans sa
pure harmonie, dans sa puissance, dans sa
beauté.

Nous apprenions que la sainteté unit entre
eux dans l'invisible tous les membres vivants
de l'Eglise, et que cette *Communion des Saints*
est le lien et la vie de son corps mystique, et lui
donne sa note de sainteté, indépendante des
imperfections et des fautes de quelques uns,
ou du plus grand nombre, des membres de
l'Eglise visible ; — l'Eglise dont le chef est le
Christ, dont l'âme est le Saint-Esprit, mais dont
les membres sont nés pécheurs comme tous les
hommes depuis la Chute. L'Eglise qui est partout où se trouve une âme sainte, militante sur
la terre, souffrante au Purgatoire, glorieuse et
bienheureuse dans la vie éternelle.

Le Catéchisme Spirituel du Père Surin

Il y a cependant un catéchisme que nous
lûmes dès ces premiers mois de nos relations
avec Léon Bloy ; c'est le *Catéchisme Spirituel*
du P. Surin. Chose curieuse, ce n'est pas Léon

Bloy qui nous l'a fait connaître, mais quelqu'un dont nous n'attendions pas de telles informations, — Georges Sorel. Il passait la plus grande partie de son temps à la Bibliothèque Nationale, fouillant les vieux auteurs, et nourrissant son érudition de précieux documents. Et il avait pour l'histoire religieuse un intérêt de prédilection.

Un jour où Jacques se trouvait à la Boutique de Péguy il vit entrer Sorel tout excité par ce qu'il venait d'entendre à une séance de la Société de Philosophie, où l'on avait discuté de mystique. « Ces gens-là, disait-il, ne connaissent pas les vraies sources. Il y a deux livres qu'il faut lire là-dessus : le *Catéchisme Spirituel* du P. Surin, un jésuite du XVIIᵉ siècle, et le livre récent du P. Poulain sur *Les grâces d'Oraison.* » Jacques, par un bienfait de la Providence ne s'intéressa qu'au premier titre, et c'est ainsi que nous connûmes ce chef d'œuvre de spiritualité.

La lecture de ce livre eut sur nous une action dès lors décisive, bien qu'encore à notre insu. Nous bénissions notre préalable et totale ignorance qui nous permettait de voir soudain dans une fraîcheur toute neuve ce traité depuis longtemps classique de la vie spirituelle. Les notions éparses touchant la contemplation que nous trouvions dans Plotin, dans Pascal, et chez Léon

Bloy, avaient ici leur centre de plénitude et d'efficacité. Cette charte de la sainteté aperçue pour la première fois nous apparaissait, dans sa logique organique, comme la seule capable de traiter de la vie intérieure, d'éveiller cette vie dormante en chacun de nous, de nous rendre vraiment vivants et humains en notre esprit comme en tous nos actes. Mais il nous fallait bien voir que la perfection où tendait tout le labeur de l'ascète ne pouvait être véritablement atteinte que par les voies d'une vie passive de l'esprit, où Dieu conduit lui-même les âmes qu'il veut combler de ses dons. Ainsi il fallait abandonner l'espérance d'arriver par la seule application de notre volonté à cette union à Dieu qui donne aux saints toute leur perfection et leur béatitude. Il fallait donc croire en Dieu. La foi en l'existence de Dieu était encore bien fragile en moi, me semblait-il. Mais le désir brûlait en nous de cette vie merveilleuse où « tout n'est qu'ordre et beauté », amour, « calme » et vérité. Combien, auprès de la vie de ces âmes pleines de grâce et de force nous paraissait impuissante, incertaine et vague notre propre vie intérieure, et celle des meilleurs d'entre nous.

Comme nous avions soif de cette contemplation dont le P. Surin dit qu'elle « est une opé-

ration par laquelle l'âme regarde l'universelle
vérité », et que par cette contemplation, « l'esprit élevé à une haute notion de la vérité éternelle en revient avec de merveilleux goûts et
des impressions de grand prix et profit, qui ne
se connaissent pas tant en elles-mêmes que dans
leurs effets ; d'autant qu'un homme, accoutumé
à ces opérations, est fécond en lumières et en
vertus. » En effet, « par la contemplation l'âme
atteint à la perfection évangélique, non seulement par suite des bons mouvements qui sont
donnés, mais comme formellement, dans le
même acte de contemplation... L'âme ne tend
qu'à la Vérité qu'elle connaît et en la façon
qu'elle la connaît, c'est-à-dire universelle, dé-
pouillée de ses qualités individuelles ; ce qui
la maintient en une parfaite pureté et lui donne
une éminente sagesse pour discerner toutes
choses, n'étant imbue du goût d'aucune, d'autant que sa pratique est de se dépouiller et de
se dessaisir sans cesse de tout ce qu'il y a d'individuel et de particulier, et se porter à ce qui
est innominable et impénétrable. » Et ceci, qui
creusait dans mon cœur un vide immense, avec
une aspiration infinie vers ce qui pouvait le
combler :

« Elle sacrifie au Dieu inconnu qui est plus
grand que le Dieu connu, car ce qu'on sait de

Dieu n'est rien au prix de ce qu'on ne connaît pas. »

Ainsi par l'amour de la vérité l'âme est comblée de sagesse, et lorsqu'elle est arrivée à la perfection de l'amour, elle arrive aussi à la perfection de la liberté :

« Elle se laisse mouvoir au Saint-Esprit : Voilà pourquoi elle ne sait ce que c'est que se contraindre... Comme ces personnes sont dans l'amour, elles font ce qu'elles veulent ; elles disent librement ce que d'autres n'osent avoir pensé, parce qu'elles ne craignent rien... Elles n'ont aussi qu'un seul désir. Elles sont comme les oiseaux du ciel, placés en haut, c'est-à-dire en Dieu, ce qui fait qu'ils n'ont aucune limitation. *Ubi spiritus Domini, ibi libertas.* » Là où est l'esprit du Seigneur là est la liberté.

Vérité. Amour. Liberté. Beaux mots qui donnez à l'âme un avant-goût du Paradis, qui aurait pu vous inventer si la réalité elle-même ne vous avait enfantés ! C'est elle qui vous donne cette saveur à laquelle ne peut résister le cœur de l'homme. Là où vous vivez Dieu vit avec vous, même si nous ne le savons pas.

Quelle admirable conjonction de l'action de Dieu et de la docilité héroïque de l'âme, quelle

parfaite union de l'ascèse et de la contemplation établissait ce Catéchisme Spirituel ! Nous
connûmes plus tard la vie extraordinaire de son
auteur, et nous vîmes que pour parler de la contemplation le P. Surin n'avait eu qu'à puiser
dans sa propre expérience. Beaucoup plus tard
aussi Henri Bremond a longuement parlé de lui
dans son *Histoire Littéraire du Sentiment religieux en France.* Il cite, dans le volume V, des
pages admirables, prises soit au *Catéchisme,* soit
à un *Traité inédit,* et je ne résiste pas au désir
d'en reproduire une, ici :

« Quand l'âme a été longtemps dans les
peines... Dieu la fonde dans la paix... Cette paix
vient comme un fleuve dont le cours allait dans
un pays et qui est détourné dans l'autre, comme
par la rupture d'une chaussée. Cette paix entrant fait ce qui ne lui est pas propre, c'est-à-
dire des impétuosités très grandes et il n'appartient qu'à la paix de Dieu de faire cela. C'est
elle seule qui peut marcher en cet équipage,
comme le bruit de la mer qui vient, non pour
ravager la terre, mais pour remplir l'espace du
lit que Dieu lui a donné. Cette mer vient comme
farouche avec rugissements, quoiqu'elle soit
tranquille ; l'abondance des eaux fait seule ce
bruit et non pas leur fureur... La mer en sa

plénitude vient visiter la terre et baiser les bords que Dieu lui a donnés pour limites. Cette mer vient en majesté et en magnificence. Ainsi vient la paix dans l'âme, quand la grandeur de la paix la vient visiter après les souffrances, sans qu'il y ait un seul souffle de vent qui puisse faire sur elle une ride. Cette divine paix, qui porte avec soi les biens de Dieu et les richesses de son royaume, a aussi ses avant-coureurs, qui sont les alcyons et les oiseaux qui marquent sa venue : ce sont les visites des anges qui la précèdent. Elle vient comme un élément de l'autre vie, avec un son de l'harmonie céleste, et avec une telle raideur que l'âme même en est toute renversée, non par opposition à son bien, mais par abondance. Cette abondance ne fait aucune violence, sinon contre les obstacles de son bien, et tous les animaux qui ne sont pas pacifiques fuient les abords de cette paix, et avec elle viennent tous les biens qui sont promis à Jérusalem... comme le casse, l'ambre et d'autres raretés sur son rivage ; ainsi cette divine paix vient avec abondance et opulence de biens et de richesses précieuses de la grâce.[1] »

---

1. *Traité inédit...* p. 281, 282. — L'orthodoxie du *Catéchisme Spirituel* a été parfaitement mise en lumière par Bremond, dans le volume V de son *Histoire Littéraire du Sentiment Religieux en France,* pp. 154-156.

La cité de Dieu se dessinait à notre horizon en lignes encore imprécises, mais déjà éblouissantes.

A l'aube de nouvelles amitiés

C'est chez Léon Bloy que nous rencontrâmes Georges Rouault pour la première fois. Il était là avec deux autres peintres d'un destin inégal : Desvallières et Bonhomme. A la date du 12 novembre 1905 Léon Bloy note dans son journal :

« On est plusieurs artistes et on parle d'art énormément — sans pouvoir s'entendre. La seule chose nette, dite par moi... c'est que les enfants de Dieu ne peuvent jamais demander trop, ayant droit à tout, et que par conséquent, il faut demander des artistes complets... »[1]

On parle d'art énormément sans pouvoir s'entendre... Cela arrive fréquemment... Je ne me souviens pas de ce qui s'est dit. Jacques et moi nous avons seulement écouté, sans doute. Mais j'ai gardé de cette discussion une impression grave, toutes les questions importantes concernant l'art avaient probablement été posées. Si, ce jour-là, Rouault a discuté avec Léon Bloy,

---

1. *L'Invendable.*

et essayé de lui faire comprendre le sens de ses
nouvelles recherches, il a dû rapidement renoncer à se faire entendre du vieil écrivain dont
toute la vision plastique était celle du moyen
âge et de la Renaissance, et qui ne pouvait renoncer à la beauté des formes. Combien de fois,
dans les années qui ont suivi, n'avons-nous pas
vu Rouault chez Bloy, debout, appuyé contre
le mur, un léger sourire sur ses lèvres closes, le
regard au loin, le visage apparemment impas-
sible, mais d'une pâleur qui allait s'accentuant
lorsque la question de la peinture moderne
était abordée. Rouault pâlissait, mais gardait
jusqu'au bout un silence héroïque. Et toujours,
malgré cette irréductible opposition sur la question même de son art, il est resté fidèle à Léon
Bloy. On eût dit qu'il venait chercher chez Bloy
les accusations mêmes qui tourmentaient en
lui ce qu'il avait de plus cher, — non pour les
soumettre à une discussion quelconque, mais
pour éprouver contre elles la force de l'instinct
qui l'entraînait vers l'inconnu et qui devait
triompher de tout obstacle.

Nous avons eu le bonheur de bien connaître
Rouault, et de le voir très souvent pendant les
années où lui et nous avons habité Versailles.
Il était alors tout à fait semblable à certains de
ses « pierrots » ou de ses clowns : le visage al-

longé, d'une pâleur d'ivoire, d'une grâce bretonne et parisienne à la fois — son père était
breton et sa mère parisienne — deux fois sensible par conséquent, un peu mélancolique ; les
lèvres minces, les yeux bleus, clairs, limpides,
mais le regard en dedans, et qui ne se livre pas.
C'est en lui que nous avons appris à connaître
ce que peut être la sensibilité, la loyauté à l'é-
gard de son art, l'héroïsme d'un grand artiste.
Nous l'avons connu en ces années difficiles où
presque tous ses amis hochaient la tête en parlant de lui et le blâmaient ; où il a poursuivi
obstinément son travail au milieu des obstacles
sans nombre que suscite la pauvreté, une pauvreté qui dura de longues années. Comme Léon
Bloy, Georges Rouault avait auprès de lui une
femme admirable, patiente dans l'adversité, et
de beaux enfants :

> Geneviève mon gros bourdon,
> Isabelle ma colombelle
> Michel faible pilier de la maison,
> Agnès petit pigeon,

qui étaient sa joie, mais aussi son tourment :
fallait-il, pour eux, pour leur bien-être, renoncer
à la pureté de sa conscience d'artiste, et faire de
la peinture qui se vende tout de suite, facile-
ment, à tous ? Quelle acuité tragique avaient

ccs débats ; il nous a été donné de le savoir un peu. C'est en pensant à lui surtout que Jacques a écrit *Art et Scolastique*. Comme nous n'étions ni des critiques d'art ni d'anciens camarades, Rouault nous montrait volontiers ce qu'il faisait. Nous ne pouvions suivre sans émotion les progrès de son patient labeur dans une pureté d'intention artistique extrêmement rare même chez les plus grands. Nous l'avons vu passer ainsi d'une époque sombre à une époque lumineuse, dans un progrès constant vers la sérénité, vers la pleine maîtrise de sa matière picturale comme vers la parfaite aisance et la puissance synthétique de scs grands dessins.

A l'époque où nous avons fait sa connaissance il avait déjà abandonné le chemin facile qui s'ouvrait devant lui. A l'âge de vingt-deux et vingt-trois ans il avait peint *le Christ mort*, aujourd'hui au Musée de Grenoble, et *l'Enfant Jésus parmi les Docteurs*, acheté par le Musée de Colmar, où se sentait l'influence à la fois dc Gustave Moreau et de Rembrandt. Il n'avait qu'à continuer dans cette voie, c'était l'opinion générale, — sauf, peut-être celle de Gustave Moreau lui-même qui avait confiance dans les dons de son élève préféré. Sa première manière plaisait donc beaucoup, mais celui en qui habite la puissance et la nouveauté du génie aurait honte de peindre toujours selon la vision d'un autre, cet autre serait-il Rembrandt lui-même.

Rouault commençait donc à libérer son génie propre, et à donner forme à l'indignation, vengeresse de toutes les médiocrités, qui brûlait dans son cœur. En cela il ressemble étrangement à Léon Bloy lui-même. Mais Bloy était inconscient de cette ressemblance ; voici en quels termes il parle de Rouault après une visite au Salon d'Automne :

« ... Cet artiste qu'on croyait capable de peindre des séraphins, semble ne plus concevoir que d'atroces et vengeresses caricatures. L'infamie bourgeoise opère en lui une si violente répercussion d'horreur que son art paraît blessé à mort. Il a voulu faire mes *Poulot* [personnages de *la Femme Pauvre*]. A aucun prix je ne veux de cette *illustration*. Il s'agissait de faire ce qu'il y a de plus tragique : deux bourgeois, mâle et femelle, complets : candides, pacifiques, miséricordieux et sages à mettre l'écume de la peur à la bouche des chevaux des constellations. Il a fait deux assassins de petite banlieue. »[1]

Il y a ici du Gustave Moreau dans le style même de Léon Bloy ; et Rouault, lui, cherchait son style personnel, s'éloignait volontairement

---

1. *L'Invendable.*

Octave de la Dédicace
17 novembre 1912

Pour mes chers filleuls, Raïssa, Véra & Jacques.

... Je vais communier. Le prêtre a prononcé les paroles terribles que la piété charnelle dit <u>consolantes</u> : « *Domine non sum dignus...* » Jésus va venir & je n'ai qu'une minute pour me préparer à Le recevoir. Dans une minute Il sera « sous mon toit »...

Je ne me souviens pas d'avoir balayé cette demeure où Il va pénétrer comme un roi ou <u>comme un voleur</u>, car je ne sais que penser de cette visite.

L'ai-je même jamais balayée, ma demeure d'impudicité & de carnage ?

J'y jette un regard, un pauvre regard d'épouvante, & je la vois pleine de poussière & pleine d'ordures. Il y a partout comme une odeur de putréfaction & d'immondices.

Je n'ose regarder dans les coins sombres. Aux endroits les moins obscurs, j'aperçois d'horribles taches, anciennes ou récentes, qui me rappellent que j'ai massacré des innocents, en quel nombre & avec quelle cruauté !

Mes murs sont pleins de vermine & tout ruisselants de gouttes froides qui me font penser aux larmes de tant de malheureux qui m'implorèrent en vain, hier, avant hier, il y a dix ans, il y a vingt ans, il y a quarante ans...

Et tenez ! <u>là</u>, au-devant de cette porte pâle, quel est ce monstre accroupi que je n'avais

AUTOGRAPHE DE LÉON BLOY

pas remarqué jusqu'ici & qui ressemble à celui que j'ai quelquefois entrevu dans mon miroir ? Il paraît dormir sur cette trappe de bronze scellée par moi & cadenassée avec tant de soin pour ne pas entendre la clameur des morts & leur _Miserere_ lamentable...

Il faut être vraiment Dieu pour ne pas craindre d'entrer dans une telle maison !

Et Le voici !... Quelle sera mon attitude, & que vais-je dire ou faire ?

Absolument _rien_.

Avant même qu'Il ait franchi mon seuil, j'aurai cessé de ▮ penser à Lui, je n'y serai plus, j'aurai disparu, je ne sais comment. Je serai infiniment loin, parmi les images des créatures.

Il sera seul & nettoiera Lui-même la maison, aidé de Sa Mère dont je prétends être l'esclave & qui est, en réalité, mon humble Servante.

Quand Ils seront partis, l'Un & l'Autre, pour visiter d'autres cavernes, je reviendrai & j'apporterai d'autres ordures.

Léon Bloy

de la manière de son maître de l'Ecole des Beaux-Arts.

Mais la raison profonde du dissentiment est beaucoup plus grave encore, comme on peut le voir d'après une lettre de Léon Bloy à Georges Rouault, datée du Ier Mai 1907, et où il lui dit : « Vous êtes attiré par le laid exclusivement. »

Cette question de la beauté des formes, outre qu'il n'existe pas de canons immuables pour les formes belles, s'est posée à Rouault comme sans doute à tous les grands artistes de notre temps. Et Rouault ne niait pas qu'on ait dû sacrifier la recherche de la beauté formelle à celle de la « rareté » de la matière picturale, comme au besoin d'affranchir la peinture des formes imposées par la nature. Ainsi un Cézanne, un Rousseau, un Rouault étaient arrivés à faire de la beauté avec des déformations, avec de la « laideur », grâce à la sensibilité extrême d'un art parvenu au faîte de la conscience de soi-même, grâce à la souveraine présence de la poésie, — cette vivificatrice ayant à peu près complètement abandonné les formes régulières de tous les académismes.

Au point où l'art des peintres était parvenu, avec le classicisme d'Ingres, et le romantisme de

Delacroix, un renouvellement total devait se produire ; et n'était-ce pas l'avis de Rouault ? — il faut croire qu'il n'a pas été possible de sauvegarder à la fois la beauté des formes et la poésie et le renouvellement. N'est-ce pas là où l'académisme avait le plus insisté que l'abandon a dû se produire ? La déformation a atteint surtout les traits humains du corps et du visage. Le paysage n'ayant pas été soumis à des canons si stricts a échappé à cette nécessité sans doute temporaire et qui marquera une époque. En tout cas il n'y a pas aujourd'hui de plus beaux paysages que ceux de Rouault. L'évolution d'un Picasso me semble ici fort instructive ; il est parti de formes très pures, et il est allé vers une déformation de plus en plus accentuée, et vers un maximum de rupture avec les données de la nature. Il me semble que l'évolution de Rouault est allée dans le sens contraire. On peut concéder à Léon Bloy, que, non pas seulement Rouault mais tous les artistes : peintres, sculpteurs, musiciens, poètes, subissent depuis longtemps déjà, l'attrait de la déformation et, en ce sens, — de la laideur. Mais la raison essentielle d'un tel attrait qui pourra nous la révéler ? Léon Bloy la désigne-t-il, lorsque, dans la même lettre à Rouault, il lui dit : « Si vous étiez un homme de prière... » Mais les artistes de la Renaissance

n'étaient pas en général des hommes de prière,
et Rouault est un chrétien profondément croyant. Il ne suffit pas que quelques-uns soient
des hommes de prière pour que de nouveau l'art
réconcilie la liberté avec la beauté des formes ;
il y faut sans doute l'épaisseur d'une époque
tout entière, un moyen âge tout inspiré par la
foi, ou une Renaissance où la foi donne sa fleur
dernière, et peut-être la plus belle, comme en
Rembrandt, ou en Zurbaran...

Qu'est-ce qui a donné à Léon Bloy l'amitié
et l'admiration de Rouault ? N'est-ce pas justement la vive foi de l'un et de l'autre, comme
l'élévation et la rigueur de leur conscience d'artistes ? Très jeune encore Rouault avait subi
l'influence de Huysmans. Puis il s'est détourné
de Huysmans pour venir à Bloy.

L'inspiration religieuse est constante dans
son œuvre, il en a parfaitement conscience, et
je l'ai souvent entendu se plaindre de certains
qui ne voulaient pas le reconnaître. Ce n'est pas
seulement par les sujets traités, c'est parce que,
quoi qu'il fasse, on le sent en perpétuel éveil à
l'égard des valeurs évangéliques de la vie
humaine. On a dit que Rouault est le peintre
du péché originel. Cela est vrai de l'époque
sombre des juges, des filles, des pîtres, et cela

éclate en ses Christs magnifiques et terribles qui rappellent avec une force à peine soutenable que Dieu s'est chargé de toutes nos iniquités, et que nous lui avons donné en échange cette face défigurée de larmes et de sang. Mais je ne crois pas que cela soit vrai de toute l'œuvre de Rouault.

Lorsque nous le vîmes pour la première fois chez Léon Bloy, ce qui inspirait l'œuvre et la vie de celui qui devait devenir un des plus grands peintres de tous les temps, n'était encore pour nous qu'une promesse très-étrange et très-attirante, une sorte de cité féerique à peine dessinée à l'horizon.

Quelques mois après nous, un nouvel ami vint à Bloy en la personne d'un grand savant, le géologue Pierre Termier ; un de ces esprits créateurs et puissamment synthétiques qui contribuèrent à renouveler notre connaissance de la « Face de la Terre ». Sa première lettre parvint à Bloy le 14 janvier 1906 :

« Je reçois la carte d'un inconnu : Pierre Termier, ingénieur en chef des Mines, professeur à l'Ecole des Mines, un gros monsieur dirait-on, qui veut me voir et m'entendre, m'ayant lu... »

Trois jours après Pierre Termier se présenta rue du Chevalier de la Barre. C'est moi qui allai lui ouvrir. Je vis un grand monsieur d'une cinquantaine d'années, très distingué, l'air excessivement poli, qui me demanda d'une voix extrêmement douce et modeste s'il était bien chez Léon Bloy.

« 17 janvier. — Apparition de mon Ingénieur. C'est un chrétien amoureux, espèce aussi rare que l'ornithorynque, mammifère qui pullule, peut-être, en des contrées inconnues. Il explique son goût pour moi. C'est ce que je dis de la Salette, dans *La Femme Pauvre,* qui l'a gagné. Il veut que j'aille un jour déjeuner chez lui. Quel peut bien être l'avenir d'une telle amitié ? Je suis surtout étonné. Fils d'un conducteur des Ponts et Chaussées très-peu croyant, j'ai vu passer dans ma première jeunesse quelques ingénieurs païens, ou du moins très-profanes, et j'étais fixé dans le préjugé d'une sorte de mécréance polytechnique. Il est vrai que mes ingénieurs étaient des constructeurs de ponts, des *pontifes,* tandis que le nouveau venu est un troglodyte. Cela fait une différence. »

Eh bien « l'avenir de cette amitié » devait

être magnifique. Du jour de leur rencontre
Bloy a toujours trouvé en Termier un incomparable ami dont le fraternel appui, matériel
et moral, lui a été constamment secourable.
Pierre Termier, un des savants les plus réputés
de son temps, membre de l'Institut, comblé
d'honneurs, était aussi un très-grand et très-
humble chrétien. Quant à nous qui n'avions
encore jamais rencontré un savant de cette
sorte, son existence à elle seule était à nos yeux
une apologie de la Foi. La Poésie habitait à
son foyer comme une compagne de la science.
Pierre Termier dont l'œuvre scientifique,
considérable, n'est pas à la portée des ignorants
en géologie, a aussi écrit plusieurs ouvrages de
considérations générales sur la science, sur les
savants, sur la beauté de la terre, dont il connaissait si bien et la surface et les profondeurs.
*La Vocation de Savant, la Joie de connaître,
A la Gloire de la Terre,* sont les livres d'un
grand humaniste. Jeanne, sa fille aînée et la
préférée de Bloy, — c'est elle qui avait incité
son père à écrire au Pèlerin de l'Absolu — a
publié un recueil de poèmes, *Derniers Refuges,*
dont la beauté grave et la nostalgie enthousias-
mèrent Bloy, et qu'il a préfacés. Mais en tout
ceci j'anticipe énormément. Et, pour ne pas
m'arrêter en chemin je note encore : En 1927

Termier a publié les lettres que lui et sa fille avaient reçues de Léon Bloy. Dans un « Avertissement » il présente lui-même ces lettres :

« Dans *l'Invendable*, quatrième volume de son Journal, Léon Bloy a narré notre rencontre, à Montmartre, le 17 janvier 1906. C'est ce qu'il appelle, dans la Table des matières du livre, « l'apparition de Pierre Termier sur la Montagne des Martyrs. » Nos chemins, jusqu'alors, avaient été bien différents, et beaucoup de nos contemporains nous eussent jugés très dissemblables. Il faut croire cependant qu'il y avait entre nous une affinité mystérieuse, car nous devînmes presque immédiatement de grands amis. Amitié chaude et fidèle, qui ne connut jamais le moindre nuage. Elle reste l'honneur de ma vie, et il m'est infiniment doux de penser qu'elle a pu, avec un petit nombre d'amitiés semblables, adoucir quelque peu la dure et sombre vieillesse de Léon Bloy...

« En lisant, ces lettres, on verra Bloy sous un jour qui n'est pas celui dans lequel, habituellement le mettent ses portraitistes. Le pamphlétaire féroce a disparu, faisant place au doux mystique, au chrétien amoureux, à l'ami in-

dulgent ; le violent est devenu un tendre. Plus
exactement, violence et tendresse cohabitent,
celle-ci couvrant celle-là et la cachant presque ;
et quand, par instants, surgit la colère, la colère
qui, chez Bloy, n'est jamais très longtemps
assoupie, elle n'apparaît plus que comme l'ex-
plosion de son indignation généreuse ou
« l'effervescence de sa pitié ».

Le nom de Jacques est souvent cité avec
tendresse dans ces lettres de Bloy à Pierre
Termier. En eux nous avions deux grands et
admirables amis à vénérer et à chérir. Plus tard
Termier devait publier une *Introduction à
Léon Bloy* — son dernier ouvrage — qui est un
des grands témoignages rendus à Bloy. Il n'est
guère de discours aux Sociétés savantes où
Termier n'ait trouvé moyen de citer Léon
Bloy.

Depuis que nous avions lu *le Salut par les
Juifs* le sort de ce livre nous préoccupait ; à la
suite de je ne sais quelles vicissitudes ce livre
extraordinaire était devenu introuvable. Nous

décidâmes donc, Jacques et moi, de le rééditer à nos frais, chez Payen, l'imprimeur de Péguy.

« 17 novembre — Jacques et Raïssa entreprennent une réédition du *Salut par les Juifs*. Ils veulent un très beau livre en caractères Grasset, rouges et noirs. Je ne saurai jamais ce que cette action généreuse aura coûté... »[1] De cela nous avons perdu le souvenir. Mais nous n'avons pas oublié la joie que cette décision a donnée à Léon Bloy ; et comme tous les magnanimes il ne pouvait rien recevoir sans donner aussitôt bien davantage :

« 9 novembre 1905. — ...Lecture des épreuves de la nouvelle édition du *Salut par les Juifs*. Travail doux et même un peu enivrant. Où est l'écrivain moderne capable de présenter l'équivalent de ce livre ? C'est avec autant d'orgueil que d'amour que je le dédie à ma petite juive Raïssa (Rachel) que son *frère* Jésus saura bien récompenser. »

Avais-je besoin d'une autre récompense ? N'y avait-il pas en celle-ci trop d'honneur pour moi, et tant de tendresse ! La première dédicace qui me fût adressée était celle d'un tel livre, et combien elle était magnifique :

---

1. *L'Invendable.*

A
Raïssa Maritain
Je dédie ces pages
écrites à la gloire catholique
du Dieu
d'Abraham
d'Isaac
et de Jacob

Nous parlions souvent de Bloy à Péguy, et de Péguy à Bloy. Cependant nos deux grandes admirations continuaient à s'ignorer comme l'Himalaya ignore les Pyrénées.

Jacques essaya de les rapprocher en faisant lire à Bloy un des « Cahiers » de Péguy. Mais le miracle n'eut pas lieu ; et cela seulement par le refus obstiné de Péguy.

Voici en effet ce que Bloy note dans *l'Invendable,* le 6 janvier 1906 :

« Lu d'abord par curiosité, bientôt avec le plus vif intérêt, un fascicule des *Cahiers de la Quinzaine,* de Charles Péguy (3ème cahier de la 4ème série). Il s'agit de la misère. Je ne puis m'empêcher d'écrire à l'auteur :

« Monsieur, vous ne me connaissez pas et nous sommes si loin l'un de l'autre que je ne sais pas comment une velléité de ne plus m'ignorer pourrait naître en vous. Cependant un de vos amis m'a fait lire votre étude sur *Jean Coste* et je serais forcé de me vomir moi-même, si je ne vous félicitais pas. A notre époque d'auto-mobilisme et de crétinisme à outrance, c'est éblouissant de rencontrer, au coin d'une brochure, un démonstrateur si méthodique, un dialecticien de précision si impeccable et, en même temps ô prodige ! une âme si jeune, un talent si pathétique ! Cet endroit : « La misère est une grandeur... » m'a donné la commotion d'un rajeunissement de Pascal. Il y a en d'autres, la page 23, par exemple : « Le misérable est dans sa misère... » dont nul autre contemporain, je crois, n'eût été capable.

« Vieux captif de la misère, n'ayant pas, à soixante ans, réussi à m'évader ; mais, tout de même, cramponné encore à l'espérance, je vous remercie d'avoir sans me connaître, pris la peine d'écrire pour moi cette remarquable page. »

A cette admirable et généreuse lettre Péguy ne voulut jamais répondre. Nous comprîmes plus tard que, subissant une évolution très profonde, et réellement très personnelle, il ne voulait pas que l'on pût dire qu'il avait subi l'influence d'un autre et surtout celle de Bloy pour qui il nourrissait une singulière antipathie. Voici les deux passages du *De Jean Coste* qui ont tout particulièrement touché Bloy :

« La misère est une grandeur ; si grande que les autres grandeurs humaines en comparaison paraissent petites ; quand on connaît bien de vrais miséreux, ce qui frappe le plus en eux, dans l'abaissement même, c'est un certain ton de hauteur ; leur humilité n'est souvent que de la hauteur, intérieurement possédée ; ils ont toujours l'air de dire en parlant aux autres hommes : vous qui ne connaissez pas la vie, parce que vous ne connaissez pas la misère ; c'est justement cette grandeur, dont ils ont conscience, qu'ils ne peuvent pas toujours porter, et qui leur monte à la tête ; ils ne tombent dans la grandiloquence que parce qu'ils ont un besoin de monter jusqu'à la grande éloquence, et qu'ils ne savent pas toujours ; c'est le propre de cette grandeur qu'est la misère de n'avoir pour ainsi dire jamais été choisie, élue, voulue, préparée ; c'est une grandeur involontaire, venue du destin, non préparée : de là cette gaucherie haute, cette insolence prétentieuse des têtes désignées ; les misérables sont investis d'une grandeur qu'ils n'avaient pas demandée ; ils sont condamnés par la force des événements à jouer la vie au tragique sans avoir le tempérament ou le génie tragique ; ils jouent faux ; ils jouent mélodramatique au lieu de jouer tragique ; et l'on croit que leur vie est mélodramatique ; mais elle est tragique tout de même ; c'est l'expression qui manque. »

« ... Le misérable est dans sa misère ; le regard perpétuel qu'il jette sur sa misère, lui-même est un regard misérable ; la misère n'est pas une partie de sa vie, un partie de ses préoccupations, qu'il examine à tour de rôle, et sans préjudice du reste ; la misère est toute sa vie ; c'est une servitude sans exception ; ce n'est pas seulement le cortège connu des privations, des maladies, des laideurs, des désespoirs, des ingratitudes et des morts ; c'est une mort vivante ; c'est le perpétuel supplice d'Antigone ; c'est l'universelle pénétration de la mort dans la vie, c'est un arrière-goût de mort mêlé à toute la vie ; la mort était pour le sage antique la dernière libération, un affranchissement indéfaisable. Mais pour le misérable elle n'est que la consommation de l'amertume et de la défaite, la consommation du désespoir. »

L'épreuve du Baptême

En février 1906 je tombai dangereusement malade, et cette maladie fut pour Jacques, pour Véra et pour moi comme un arrêt dans l'écoulement insensible du temps, de notre temps qui passait ; de ce temps où l'on se laisse vivre sans que la volonté élève sa voix. On vit ainsi, généralement, dans un demi-sommeil des puissances. On peut ainsi laisser passer toute la vie. Depuis que, par Bloy, la question de la vérité du catholicisme s'était posée à nous, huit mois s'étaient écoulés, et nous ne songions encore à aucune décision. Un travail profond s'était fait en nous, il est vrai, mais seulement dans l'ordre spéculatif. Tout ce qui avait précédé la rencontre de Bloy, et tout ce qui avait suivi, lectures, réflexions, amitiés nouvelles, nous avait d'une part amenés à convenir qu'aucune des objections faites au catholicisme n'était décisive, et d'autre part nous avait donné un ardent désir du bonheur et de la sainteté des Saints.

Ma maladie qui dura plusieurs semaines fut surtout pour Jacques l'occasion de réflexions décisives et lui donna le sentiment que l'heure de sortir du sommeil était venue. C'est pendant ces jours d'angoisse qu'il s'était jeté à genoux, comme on se jette à la mer pour le salut de quelqu'un, et avait pour la première fois récité l'Oraison Dominicale. Ses résistances fléchirent, et il se sentit prêt à accepter le catholicisme s'il le fallait.

Il me dit tout cela après ma guérison. Avant je n'aurais pas été capable de l'entendre ni de le comprendre, j'étais trop malade pour penser à quoi que ce soit. Bloy m'écrivait, le 15 février :

« Ma très-chère Raïssa,

On pense beaucoup à vous dans notre maison et on y pense avec tendresse. Ce matin, à la messe de l'aube, j'ai pleuré pour vous, mon amie. J'ai demandé à Jésus et Marie de prendre dans mon passé de tourments ce qu'il pouvait y avoir de méritoire et de vous l'appliquer bonnement pour votre guérison, de vous l'imputer, avec force et puissance, pour la paix de votre corps et la gloire de votre âme. Et il m'est venu des larmes si douces que je me suis cru exaucé... Vous êtes grandement aimée, surnaturellement chérie. Ecoutez-moi. Vous serez guérie et vous connaîtrez des joies immenses. »

« Vous serez guérie... » Je n'aimais pas beaucoup la pensée de prier pour ma guérison, alors que, depuis que j'avais perdu la foi de mon enfance, je n'avais pas encore prié d'une manière désintéressée. On manque de simplicité quand on est loin de Dieu.

Un jour que j'étais au plus mal et que je souffrais terriblement, Madame Bloy vint me voir et s'assit à mon chevet. Elle me dit de prier et qu'elle allait me donner une médaille de la Sainte Vierge. Je ne pouvais pas parler, mais je me sentis fort agacée par ce qui me parut une grave indiscrétion. Jeanne Bloy, cependant, ne recevant pas de réponse, mit la médaille à mon cou. Une seconde, et sans bien me rendre compte de ce que je faisais, je m'adressai à la Sainte Vierge avec confiance et m'endormis d'un sommeil doux et réparateur.

Ma convalescence commença et ce fut un temps de longues conversations entre Jacques et moi. Je continuais cependant à ne pas sentir l'urgence d'une décision. Et c'est seulement le 5 avril que nous dîmes à Léon Bloy notre désir de devenir catholiques, entourant ce désir, il est vrai, de toutes sortes de restrictions naïves. Il a noté la date dans son journal :

« Le miracle est accompli. Jacques et Raïssa demandent le baptême ! Grande fête dans nos cœurs. Une fois de plus mes livres, occasion de ce miracle, sont approuvés non par un évêque, ni par un docteur, mais par l'Esprit-Saint. »

Le 6 avril il écrit à Pierre Termier :

« En vous quittant hier, j'ai couru chez eux. Je vous avais dit, il me semble, qu'ils m'attendaient, ayant quelque chose à me dire. Oui certes, et j'en suis encore tout pantelant.

« Ils étaient à l'extrême limite du désert et ils demandaient le Baptême ! Dans leur ignorance des formes liturgiques, ils pensaient que j'allais pouvoir les baptiser moi-même, Raïssa n'ayant absolument pas reçu ce sacrement et Jacques n'en ayant reçu tout au plus qu'un simulacre. Il a fallu leur expliquer, — avec quelle ivresse de cœur — que n'étant pas en danger de mort et l'intervention d'un prêtre étant facile, il leur fallait le baptême tel que l'Eglise le confère et non pas le simple ondoiement *in extremis* administré par un laïque... »

Nous pensions encore, en effet, que tout pouvait se passer entre nous et Dieu, et notre parrain. Toute extériorisation nous faisait peur.

Si le débat spéculatif était terminé pour nous, nous avions encore bien des répugnances à vaincre. L'Eglise dans sa vie mystique et sainte nous était infiniment aimable. Nous étions prêts à l'accepter. Elle nous promettait la Foi par le

Baptême, nous allions mettre sa parole à l'é-
preuve. Mais en la médiocrité apparente du
monde catholique et dans le mirage qui, à nos
yeux mal dessillés, semblait la lier aux forces
de réaction et d'oppression, elle nous était
étrangement haïssable. Elle nous semblait la
société des heureux de ce monde, approbatrice
et alliée des puissants, bourgeoise, pharisaïque,
éloignée du peuple.

Demander le Baptême c'était aussi accepter
d'être séparés du monde que nous connaissions,
pour entrer dans un monde inconnu ; c'était,
pensions-nous, renoncer à notre simple et commune liberté pour aller à la conquête de la
liberté spirituelle, si belle et si réelle chez les
saints, mais située trop haut, nous disions-nous,
pour être jamais atteinte.

C'était accepter d'être séparés — pour combien de temps ? — de nos parents et de nos
camarades dont l'incompréhension nous paraissait devoir être totale, et elle l'a été en bien des
cas ; mais la bonté de Dieu nous réservait aussi
bien des surprises. Enfin nous nous sentions
déjà comme « la balayure du monde » à la
pensée de la désapprobation de ceux que nous
aimions. Jacques restait malgré tout si persuadé
des erreurs des « philosophes » qu'il pensait

qu'en se faisant catholique il devrait renoncer à la vie de l'intelligence.

Pendant que seul le spectacle de la sainteté et la beauté de la doctrine catholique nous avaient occupés nous avions été heureux de cœur et d'esprit, nous allions d'admiration en admiration. Maintenant que nous nous disposions à entrer parmi ceux que le monde hait comme il hait le Christ, nous souffrions Jacques et moi une sorte d'agonie. Cela dura deux mois environ pendant lesquels j'entendis une fois dans mon sommeil ces paroles qui m'étaient dites avec une certaine impatience : « — Vous cherchez toujours ce qu'il faut faire. Il n'y a qu'à aimer Dieu et le servir de tout votre cœur. » Plus tard je retrouvai ces paroles dans l'*Imitation,* que je n'avais pas encore lue.

Léon Bloy nous avait adressés à un prêtre de la Basilique du Sacré-Cœur, — « une sorte de figure d'enfant et de martyr que vous aimerez », a-t-il écrit à Pierre Termier. L'abbé Durantel attendait notre décision.

Notre souffrance et notre sécheresse augmentaient de jour en jour. Finalement nous comprîmes que Dieu aussi attendait, et qu'il n'y aurait pas d'autre lumière tant que nous n'aurions pas obéi à la voix impérieuse de notre conscience nous disant : vous n'avez pas d'objection valable contre l'Eglise ; elle seule vous promet la lumière de la vérité — éprouvez sa promesse, mettez le Baptême à l'épreuve.

Nous pensions encore que devenir chrétiens c'était abandonner la philosophie pour toujours. Eh bien, nous étions prêts — mais ce n'était pas facile — à abandonner la philosophie pour la vérité. Jacques accepta ce sacrifice. La vérité que nous avions tant désirée nous avait pris dans un piège. « S'il a plu à Dieu de cacher sa vérité dans un tas de fumier, disait Jacques, c'est là que nous irons la chercher. » Je cite ce mot cruel pour donner une idée de notre état d'esprit.

Je vois par une lettre dé Bloy à Termier que le 21 mai nous lui avons donné « l'assurance parfaite » de notre entrée prochaine dans l'Eglise. Ma sœur était prête, aussi ; et je crois même qu'elle l'était depuis longtemps. Cependant le 1er juin Bloy écrit à Termier que « rien n'est encore fait du côté des Maritain. »

Tout à coup notre décision fut prise. Nous choisîmes, pour des raisons d'ordre temporel — un voyage à faire — la date du onze juin pour notre Baptême à tous trois. Et le 9 juin Bloy écrivait à Termier :

« L'objet de cette nouvelle lettre est surtout

de vous apprendre que Jacques Maritain, sa charmante femme Raïssa et la sœur de cette dernière, Véra, seront baptisés lundi 11, fête de saint Barnabé, à Montmartre. Ma femme, Véronique et moi seront les parrain et marraines. Vous êtes de ceux qui peuvent comprendre l'immensité et la splendeur fort inaperçues d'un tel événement.

« C'est quelque chose de penser qu'en mourant je laisserai à genoux et pleurant d'amour des gens qui ne savaient rien de cette attitude avant de me connaître.

« J'écris dans le même sens au frère Dacien.

« Je veux, à cette occasion, vous dire un mot de saint Barnabé, apôtre ainsi canonisé par l'Esprit-Saint : *Erat vir bonus, et plenus Spiritu Sancto et fide.* Quand je lus pour la première fois, dans les *Actes des Apôtres,* chap. xiv, ce détail étonnant que les Lycaoniens, écoutant avec stupeur les prédications de saint Paul et de son compagnon saint Barnabé et les prenant pour des Dieux sous forme humaine, appelaient Barnabé Jupiter et Paul Mercure, je fus extrêmement saisi. Il me parut bien évident que ce Barnabé, *hebraïce filius consolationis,* que les païens prenaient pour le roi des Dieux, devait être un personnage infiniment mystérieux et vénérable. J'ai décidé alors de le vénérer et de le prier d'une façon toute particulière et je n'y ai pas été trompé. Saint Barnabé a fait pour moi de grandes choses et chaque année j'attends son jour avec une amoureuse impatience. Le 11 juin dernier, j'avais vu finir la journée sans aucun signe de cette grande protection et j'en étais triste. Mais ce fut plus beau. Le 11 juin tombant, en 1905, le dimanche même de la Pentecôte, il avait fallu renvoyer saint Barnabé au 20 juin, et c'est ce jour-là que je reçus la première lettre des Maritain, qui étaient alors pour moi des inconnus. Cette année vous voyez ce qui arrive. Probablement il arrivera autre chose encore. Je sais ce que j'ai demandé. Je vous prie, mon cher ami, faites attention à ces admirables concordances. Chacun de nous est au centre de combinaisons infinies et merveilleuses. Si Dieu nous donnait de les voir, nous entrerions en Paradis dans un évanouissement de douleur et de volupté.

Votre

Léon Bloy. »

Le 11 juin, inconscients de ce que cette date avait de significatif pour notre parrain, nous nous présentâmes tous les trois à l'église Saint-Jean l'Evangéliste, de Montmartre. J'étais dans

une absolue sécheresse, je ne me souvenais plus
d'aucune des raisons qui avaient pu m'amener
là. Une seule chose restait claire en mon esprit :
ou le Baptême me donnerait la Foi, et je croi-
rais et j'appartiendrais à l'Eglise, totalement ;
ou je m'en irais inchangée, incroyante à jamais.
Telles étaient aussi, à peu près, les pensées de
Jacques.

« *Que demandez-vous à l'Eglise de Dieu ?*
— *La Foi.* »

Nous fûmes baptisés à 11 heures du matin.
Léon Bloy étant notre parrain, sa femme la
marraine de Jacques et de Véra ; sa fille Véronique ma marraine. Une paix immense
descendit en nous, portant en elle les trésors de
la Foi. Il n'y avait plus de questions, plus d'angoisse, plus d'épreuve — il n'y avait que l'infinie
réponse de Dieu. L'Eglise tenait ses promesses.
Et c'est elle la première que nous avons aimée.
C'est par elle que nous avons connu le Christ.

Je pense maintenant que la foi — une faible
foi — existait déjà, impossible à formuler consciemment, au fond le plus obscur de notre âme.
Mais nous ne le savions pas. C'est le Sacrement
qui nous l'a révélée, c'est la grâce sanctifiante
qui l'a fortifiée en nous.

Nous passâmes avec les Bloy une journée

paradisiaque ; le cœur de notre parrain éclatait de joie.

Le lendemain je partis pour une ville d'eaux où le médecin m'envoyait. J'emportais avec moi mon bonheur tout neuf, et la Vie de sainte Thérèse d'Avila par elle-même. Ce qui me frappa le plus dans ce livre c'est l'importance primordiale que la sainte attribue à l'oraison mentale.

A mon retour nous partîmes pour le charmant village de Bures, dans la vallée de Chevreuse, avec Véra et nos parents. Nous revînmes à Paris tous les trois pour notre première communion qui eut lieu à la Basilique du Sacré-Cœur, le 3 août, en la fête de l'Invention des reliques de saint Etienne.

C'est le 15 août, à Bures, que j'entendis un sermon pour la première fois, et, fortune assez rare, j'en fus éblouie ! C'était un simple sermon de curé de campagne à des villageois. Il s'y agissait de l'Assomption d'une Femme « pleine de grâce », de « la mère du bel amour, et de la crainte, et de la science, et de la sainte espérance », de celle à qui l'Eglise applique les paroles de la Sagesse dans l'Ecclésiaste : « J'ai fixé mon séjour dans l'assemblée des saints. Je me suis élevée comme le cèdre du Liban, et comme le cyprès de Sion ; j'ai grandi comme le palmier de Cadès et comme les roses de Jéricho. En moi est la grâce de toute voie et de toute vérité ; en moi est l'espoir de la vie et des vertus ». Et à qui l'Eglise dit : « Dans la vérité, la douceur et la justice ta droite se signalera par des fruits merveilleux. » L'impression si forte que j'éprouvai ce jour-là vient de ce que je sentais que les mots disant cette magnificence morale et cette poésie substantielle, étaient reçus à plein, grâce à la foi, par ce simple auditoire. Les raisonnements des philosophes et des savants ne sont pas capables de ce réalisme splendide.

CHAPITRE VII

EN ATTENDANT L'ANGE DE L'ÉCOLE

A Heidelberg

Le 25 août Jacques et moi partîmes pour Heidelberg.

Jacques, ayant passé son agrégation de philosophie en 1905, s'intéressait, depuis un an, surtout à la biologie. Il sollicita et obtint une bourse du legs Michonis, pour aller étudier l'état des sciences biologiques en Allemagne.

Notre dessein était de visiter les principales universités allemandes, mais la maladie aiguë dont j'avais souffert en février, et qui persistait à l'état chronique, se déclara une nouvelle fois, et nous dûmes rester à Heidelberg. Cela permit du moins à Jacques de faire ample connaissance avec Hans Driesch et ses travaux d'embryogénie expérimentale. Les études de Driesch sur le développement des embryons d'oursins ont ruiné la conception mécanistique courante de son temps ; il a été amené ainsi à réintroduire en biologie des concepts apparentés à ceux d'Aristote, notamment le concept d'entéléchie. Je crois que c'est par un article de Jacques, publié deux ans plus tard dans la *Revue de Philosophie,* que les recherches de Driesch et ses théories néo-vitalistes ont été pour la première fois connues en France. Plus tard Jacques a écrit la Préface à la traduction française de la *Philosophie de l'Organisme.*

Driesch était un homme bon et fin, de relations agréables ; Jacques s'intéressait aussi aux travaux de Herbst, l'assistant de Driesch. Il suivait les cours de Windelband ; mais il ne chercha pas à faire de connaissances parmi les étudiants de ce monde universitaire brutal et balafré. Nous étions trop heureux du temps de solitude qui nous était offert au moment où nous en avions le plus besoin. Nous étions entrés dans une vie nouvelle, dans un monde nouveau, que nous voulions explorer en tous sens. La maladie même, en favorisant le recueillement, m'a été à cet égard extrêmement utile.

Je vois dans le journal de Jacques qu'un mois seulement après notre arrivée à Heidelberg,

nous qui avions cru devoir renoncer à la philosophie, nous commencions déjà à voir la possibilité d'une « restitution de la Raison, dont la métaphysique est l'opération essentielle et la plus
haute... Nous savons bien maintenant ce que
nous voulons, écrit Jacques, et c'est proprement
philosopher. » Mais ce n'est encore là qu'une
fugitive étincelle. Jacques s'intéresse à la biologie ; nous étudions l'Ecriture, nous lisons la
liturgie de chaque jour, selon le conseil de
notre parrain, les vies des saints, et les écrits des
mystiques.

Je ne vais pas bien, et Véra vient habiter
avec nous en décembre. En janvier mon état
s'aggrave au point que le médecin ne voit plus
d'issue que dans une opération, que plusieurs
médecins consultés par lettre à Paris appellent
une « boucherie », et déconseillent absolument.
Les Bloy, à qui Jacques a écrit, nous supplient
de prier tout particulièrement Notre-Dame de
la Salette, à qui Bloy a une spéciale dévotion.
Dociles à notre parrain nous prions comme il
le veut. Mon état s'aggrave et, sans savoir si je
veux vivre ou mourir, je demande l'Extrême-
Onction que je reçois le 17 janvier. Ce n'est
pas le lieu ici de dire ce qu'a été l'expérience
de ce Sacrement, dans la Foi accrue, dans la

joie immense de la vérité confirmée. Ma guérison commença et fut rapide. Nous décidâmes
alors d'écrire à nos parents pour leur dire enfin
notre conversion. Mais l'indiscrétion d'une soi-
disant amie nous avait devancés ; elle leur parla
la première de manière à les bouleverser et à
les irriter contre nous. En toute hâte Jacques
se rendit à Paris. Il trouva mes parents au désespoir de ce qui leur semblait de la part de
ma sœur et de moi non pas un acte de religion,
mais une trahison à l'égard de leur peuple et
de ses souffrances. Jacques n'eut pas trop de
peine à les amener à une vue plus juste des
choses, et à les apaiser un peu. La blessure en
eux restait cependant profonde.

Il eut ensuite avec sa mère une conversation
du même genre. Elle était bouleversée aussi,
elle ne comprenait pas, — longue allait être la
période des discussions douloureuses, — c'est
l'idéal de l'émancipation des hommes qu'elle
nous reprochait de trahir. Et elle comptait sur
Péguy pour défaire ce que Bloy seul avait fait,
pensait-elle. Mais Péguy ! Quand Jacques lui ra-
conta notre conversion — « Moi aussi j'en suis
là ! » s'écria-t-il, un peu étonné que nous ne
l'ayons pas attendu. Et il ajouta : « Le corps du
Christ est plus étendu qu'on ne pense ». Il parla
alors à Jacques de son ami, son condisciple au

Collège Sainte-Barbe — Baillet — devenu béné-
dictin, et qui n'avait pas cessé de prier pour lui.
C'est aux prières de cet ami si fidèle que Péguy
attribuait son retour à la foi (qu'il ne voulait
pas appeler une conversion.) Il demanda que
jusqu'à nouvel ordre nous gardions secrète sa
confidence.

Le 4 mars Jacques déjeune chez les Bloy. Il
note dans son journal : « Bloy paraît accablé
comme un bœuf trop chargé. Misère. Admirable
lettre à Termier. Admirable introduction à
Celle qui Pleure. »

La Salette

Celle qui Pleure est le titre du livre que Léon
Bloy a écrit sur l'événement de la Salette, —
l'apparition de Notre-Dame à deux petits bergers d'un village du Dauphiné, le 19 Septembre
1846. Ces enfants avaient eu la vision de la
Sainte Vierge d'abord assise et pleurant, puis
debout et prophétisant de grands malheurs, —
« *Si mon peuple ne veut pas se soumettre, je suis
forcée de laisser aller le bras de mon Fils, il est
si lourd et si pesant que je ne peux plus le retenir,* » — puis s'élevant dans le ciel et disparais-
sant dans la lumière.

Le grand-père de Jacques avait été mêlé d'une façon curieuse à l'histoire de la Salette, et aux controverses extrêmement vives qu'elle a soulevées. Ceux qui niaient la réalité de l'Apparition avaient accusé une vieille demoiselle de la contrée d'avoir mystifié les petits bergers. Mais Mlle de La Merlière, furieuse d'avoir été crue capable de s'élever dans le ciel — cette légèreté ! — avait poursuivi ses calomniateurs en justice, et demandé à Jules Favre de la défendre. L'éloquence du célèbre avocat eut gain de cause.

Les Termier, dont la maison de famille est à Varces, près de Grenoble, s'étaient de tout temps intéressés aux événements de la Salette, et Pierre Termier lui-même attendait « depuis trente ans » que quelqu'un d'autorisé en parlât.

« Depuis environ le même nombre d'années, lui écrit Léon Bloy, j'attendais qu'il me fût donné d'en parler convenablement. Il arriva enfin qu'un jour — il n'y a pas bien longtemps — ayant lu, dans un de mes livres, les quelques pages où je me suis efforcé de glorifier la Salette, il vous parut que j'étais l'écrivain que vous avez espéré. Nous nous connûmes alors et votre impression, loin de changer, devint plus précise.

Encouragé par vous, voyant en vous un am-

bassadeur de Marie, qu'avais-je mieux à faire
que d'obéir ? »[1]

« Je suis né en 1846, au moment que Dieu
a voulu, 70 jours avant l'Apparition. J'appar-
tiens donc à la Salette, en une façon assez mystérieuse, et vous avez été choisi pour me mettre
en état d'écrire ce qu'il fallait écrire, à la fin !
Ce livre grandit en moi, chaque matin, et j'ad-
mire qu'après tant d'années de gestation, il soit
exigé de moi, décidément, à l'heure précise où
les plus terribles menaces de la Salette semblent
devoir s'accomplir. Ce que je pense ? demandez-
vous. C'est simple. Heureux et bienheureux
ceux qui auront appris à souffrir. L'échéance
arrive et il y a beaucoup à payer, infiniment
plus qu'on ne pense...

L'attente continuelle des divines catastrophes est devenue ma raison d'être, ma destinée,
mon art, si vous voulez. J'ai toutes mes racines
dans le Secret de la Salette et c'est pour cela sans
doute, que l'universelle conspiration du *Silence*
a tenté de m'assassiner. J'ai passé ma vie à m'in-
digner de ne pas voir le déluge. »[2]

Le 3 septembre 1906 Bloy, qui revient de la
Salette, écrit encore à Termier :

---

1. *Lettre à Pierre Termier*, 5 Octobre 1906.
2. *Lettre à Pierre Termier*, 21 Décembre 1906.

« Vive le Sacré-Cœur transpercé ! La Montagne choisie par lui pour saigner sur Paris est douce à mon triste cœur et me suffit complètement.

« J'espère écrire là, mon bon Termier, ce que vous avez espéré de moi. Ma dernière démarche à la Salette, ma prière du départ, a été sur la tombe de mon ami l'abbé Tardif de Moidrey qui avait voulu de toute son âme ce que vous voulez aujourd'hui. Ayez confiance et soyez bénis, vous et les vôtres, pour le bien que vous avez fait à un pauvre grandement consolé par vous depuis tant de mois ! »

Léon Bloy était allé à la Salette en 1879. Il en parle dans *la Femme Pauvre* :

« J'ai voulu voir cette Montagne glorieuse que les Pieds de la Reine des Prophètes ont touchée et où le Saint-Esprit a proféré, par sa Bouche, le cantique le plus formidable que les hommes aient entendu depuis le Magnificat. Je suis monté vers ce gouffre de lumière, un jour d'orage, dans la pluie furieuse, dans l'effort des vents enragés, dans l'ouragan de mon espoir et le tourbillon de mes pensées, l'oreille rompue des cris du torrent...

« J'étais venu là sur l'avis ancien d'un su-

blime prêtre, mort depuis des années, qui m'a-
vait dit : « Quand vous penserez que Dieu vous
abandonne, allez vous plaindre à sa Mère sur
cette montagne. »

Ce prêtre qui a eu une influence considérable
sur Léon Bloy, et à qui celui-ci doit, en particulier, sa méthode exégétique, est l'abbé Tardif de Moidrey, grand érudit, apôtre de la pénitence, et communément réputé comme un
saint. Il avait fait connaître à Bloy l'histoire de
l'Apparition, et, le premier, lui avait demandé
d'écrire un livre sur la Salette. Il a été pour
Bloy et pour Anne-Marie, la *Véronique* du
Désespéré, un appui moral incomparable. Malheureusement pour eux il est mort trop tôt,
le 28 septembre 1879, quelques jours seulement après le pèlerinage de Bloy à la Salette.[1]

« Quand je fus au sommet et que j'aperçus
la Mère assise sur une pierre et pleurant dans
ses mains, auprès de cette petite fontaine qui
semble lui couler des yeux, je vins tomber aux
pieds des barreaux et je m'épuisai de larmes et
de sanglots, en demandant grâce à Celle qui fut
nommée : *Omnipotentia supplex*. Combien

---

1. On a publié il y a peu d'années, dans la collection des *Iles*,
à Paris, un ouvrage de l'abbé Tardif de Moidrey : *Le Livre
d'Esther*, préfacé par Paul Claudel.

dura cette prostration, cette inondation du Cocyte ? Je n'en sais rien. A mon arrivée, le crépuscule commençait à peine ; quand je me relevai, aussi faible qu'un centenaire convalescent, il faisait complètement nuit et je pus croire que toutes mes larmes étincelaient dans le noir des cieux, car il me sembla que mes racines s'étaient retournées en haut.

« Ah ! mes amis, que cette impression fut divine ! Autour de moi, le silence humain. Nul autre bruit que celui de la fontaine miraculeuse à l'unisson de cette musique du Paradis que faisaient tous les ruissellements de la montagne et parfois, aussi, dans un grand lointain, les claires sonnailles de quelques troupeaux. Je ne sais comment vous exprimer cela. J'étais comme un homme sans péché qui vient de mourir, tellement je ne souffrais plus ! Je brûlais de la joie des « voleurs du ciel » dont le Sauveur Jésus a parlé. Un ange, sans doute, quelque séraphin très patient avait décroché de moi, fil à fil, tout le tramail de mon désespoir, et j'exultais dans l'ivresse de la Folie sainte, en allant frapper à la porte du monastère où les voyageurs sont hébergés. »[1]

---

1. *La Femme Pauvre.*

A notre tour, donc, nous connûmes la Salette, par Léon Bloy. L'apparition de Notre Dame à la Salette est un des événements religieux les plus importants qui se soient produits depuis des siècles. Lourdes même, qui est plus connu, est moins extraordinaire, malgré toutes ses guérisons miraculeuses.

Ce qui est unique dans le fait de la Salette, c'est la qualité des messages reçus et transmis par les enfants : un message public, répété par eux le jour même de l'Apparition, et le message secret divulgué par Mélanie en 1859. Les prédictions apocalyptiques qui y furent formulées en 1846, n'ont été que trop justifiées par les événements de notre temps.

J'aurai l'occasion plus tard de parler de la Salette d'une manière plus explicite. Mais je ne pouvais passer sous silence l'importance que dès l'époque dont je parle en ce moment ce grand événement religieux commençait à prendre dans notre vie.

En 1907 nous n'en jugions encore que d'une manière provisoire, et par confiance en notre parrain nous étions inclinés à croire en la réalité des faits rapportés. Nous savions cependant que nous n'étions pas obligés d'y ajouter foi, et que ces phénomènes de la vie religieuse, comme tout ce qui est « vision » et « révélation », doivent être soumis à la critique la plus rigoureuse, ainsi qu'un fait d'ordre historique à vérifier ; et qu'après une recherche de bonne foi ils peuvent être rejetés sans nulle faute théologale. Mais nous savions aussi qu'il a plu à Dieu d'appuyer sa Parole par des miracles et qu'il n'était ni sage ni prudent de les rejeter a priori.

L'événement de la Salette se présentait avec une grandeur et une beauté exceptionnelles. La Vierge en pleurs annonçant des souffrances inouïes nous disait par les petits bergers Mélanie et Maximin : « depuis le temps que JE SOUFFRE pour vous autres. » Et la question se posait ainsi de la souffrance des Bienheureux.

« Elle pleure à la Salette, Celle que toutes les générations doivent appeler Bienheureuse. Elle pleure comme Elle seule peut pleurer. Elle pleure des larmes infinies sur toutes ces prévarications énumérées [dans le Message Secret] et sur chacune d'elles. Elle est donc atteinte au sein même de la Béatitude. La raison s'y perd. Une béatitude qui « souffre » et qui pleure ! Est-il possible de le concevoir ?...

« Il était réservé à une pastourelle, à une enfant sans aucun savoir humain, sans aucune autre culture que celle qu'on peut recevoir à l'Ecole Primaire des Anges, de nous annoncer le christianisme intégral, absolu, dans sa splendeur.[1] »

Cette question de la souffrance dans la Béatitude, et de la souffrance en Dieu lui-même, avait déjà été posée par Bloy dans *le Salut par les Juifs*. La théologie ni Aristote n'admettent cette conjonction de la souffrance et de la Béatitude. Celle-ci est une plénitude absolue, et la souffrance est la plainte de ce qui est blessé. Mais notre Dieu est un Dieu crucifié ; la béatitude dont il ne peut être privé ne l'a empêché ni de craindre ni de gémir, ni de suer le sang de l'Agonie inimaginable, ni de râler sur la Croix, ni de se sentir abandonné ! « Tous les viols imaginables de ce qu'on est convenu d'appeler la Raison peuvent être acceptés d'un Dieu qui souffre » dit Léon Bloy dans le *Salut*.

Pour un être créé, être capable de souffrir est une réelle perfection ; c'est l'apanage de la vie et de l'esprit, c'est la grandeur de l'homme ; et, « puisqu'on nous enseigne que nous fûmes créés à la ressemblance de Dieu, est-il donc si difficile de présumer bonnement qu'il doit y avoir dans l'Essence impénétrable, quelque chose de correspondant à nous, *sans péché,* et

---

1. *Vie de Mélanie* par elle-même. Introduction de Léon Bloy.

que le synoptique désolant des troubles humains n'est qu'un reflet ténébreux des inexprimables conflagrations de la Lumière ? »[1]

Parce qu'elle implique en sa notion même une imperfection, la souffrance ne peut être attribuée à l' « l'Essence impénétrable ». Mais sous une forme qu'aucun nom humain ne peut nommer, ne faut-il pas que se trouve en elle tout ce qu'il y a de mystérieuse perfection dans la souffrance de la créature ?

Ces « inexprimables conflagrations de la Lumière, » cette sorte de gloire de la souffrance, voilà peut-être à quoi correspondent sur la terre la souffrance des innocents, les larmes des enfants, certains excès d'humiliation et de misère que le cœur ne peut presque pas accepter sans scandale, et qui, lorsque la figure de ce monde énigmatique aura passé, apparaîtront au sommet des Béatitudes.

Nous nous excuserons de ce que ces pensées ont d'obscur en nous réfugiant encore une fois auprès de notre parrain et en disant avec lui :

« Quand on parle amoureusement de Dieu, tous les mots humains ressemblent à des lions devenus aveugles qui chercheraient une source dans le désert. »[2]

---

1. *Le Salut par les Juifs.*
2. *Le Salut par les Juifs.*

Après un bref séjour à Paris, Jacques était revenu à Heidelberg, content de son expédition. Si cruelle que la situation reste encore du côté de sa mère et de mes parents, elle n'est plus tragique, comme un moment elle avait semblé l'être. Nos parents ne sont pas résignés à notre conversion, mais la rupture et les catastrophes que nous redoutions ont été évitées. Et Dieu commence à nous donner des compagnons de route. La sœur de Jacques revient au catholicisme, notre nièce a été baptisée le 12 novembre, elle a trois ans, et c'est notre première filleule. Et voici que Péguy, qui nous est si cher, partage aussi notre foi ! « Qu'il est bon pour des frères d'habiter ensemble, » dans la maison de la grâce, pour qui ne comptent pas les frontières. Nous reprenons notre vie de recueillement et d'études sans autres incidents.

Le 24 Juin nous sommes en route pour la Salette. Nous avons décidé de rentrer en France par ce détour. Nous allons de Heidelberg à Bâle, de Bâle à Genève, de Genève à Grenoble. De Grenoble à Corps. Trajet extraordinaire au-dessus des abîmes du Drac. Il faut lire la description qu'en donne Bloy dans *Celle qui Pleure*. A Corps nous montons dans une sorte de calèche si vieille que toutes les pièces, à peu près, en sont tenues par des ficelles ; cela lui donne plus de souplesse que de solidité. Elle est attelée de deux chevaux et de deux mulets. Nous montons la route abrupte, et que l'on dit fort dangereuse ; elle était encore difficile à cette époque. Evidemment elle est étroite comme la porte du ciel. Muraille immense à gauche, abîme à droite. Le temps est tiède et délicieux, l'air d'une pureté admirable. Il nous semble que nous sommes les pèlerins du Paradis Terrestre caché là-haut, tout près du ciel.

Nous arrivons enfin le 26 à 7 heures du soir. O solitude, ô silence ! Voici les trois statues de bronze placées là où les enfants ont vu Notre-Dame assise et pleurant, et puis debout et leur parlant, et puis aspirée par le ciel.

Dans cette haute retraite nous nous préparons à recevoir le Sacrement de Confirmation qui doit nous être donné à Grenoble. Tout a été réglé entre Léon Bloy et Pierre Termier qui nous assistera ce jour-là. En descendant de la Salette nous passons quelques jours chez les Termier, à Varces. Le 6 juillet nous sommes confirmés. Le 8 nous sommes de retour à Paris.

De la Salette Jacques avait envoyé à Ernest

Psichari, alors en Afrique, une carte postale
portant l'image de la Vierge en pleurs ; « Nous
avons prié pour toi du haut de la sainte Montagne... » Psichari devait citer plus tard cette
lettre dans le *Voyage du Centurion*, en ajoutant :   Pour la première fois, Maxence [c'est
le nom qu'il se donne dans ce livre, pour ne
pas parler à la première personne] « pour la
première fois Maxence eut la perception qu'une
brise de tendresse lui venait des Gaules loin-
taines. Il ne croyait nullement à la prière et
pourtant il lui semblait que celui-là l'aimait
mieux que les autres, qui priait pour lui, —
que seul, celui-là l'aimait. »

Les débats de Péguy

Nous habitons chez nos parents ; nous sommes heureux. Jacques a de longues et affec-
tueuses conversations avec Péguy, qui lui demande d'aller porter à Dom Baillet la bonne
nouvelle de son retour à la foi. Jacques doit
se rendre à l'île de Wight où les Bénédictins
de Solesmes sont en exil. Impossible, dit Péguy,
de confier cela à la poste, une indiscrétion pourrait être commise et les abonnés des Cahiers ne
sont pas encore prêts à comprendre. Il faut

attendre qu'il les ait préparés. Péguy con-
sidère les « abonnés » comme un troupeau
d'élus que Dieu lui aurait donné à paître ; il ne
doit pas les brusquer, il doit les ménager, et les
amener tous ensemble à l'unique bercail...

La solitude que notre conversion a créée
autour de nous ne nous étonne point. Les incidents pittoresques ou amusants ne manquent
pas. Les uns pensent que nous sommes tombés
« entre les mains des Jésuites » (bien que nous
n'ayons pas encore eu le privilège de rencontrer un seul membre de la Compagnie), les
autres imaginent Bloy comme le chef d'une
conspiration ténébreuse. Jacques rompt avec
la plupart de ses relations du temps de la Sorbonne. Deux grands amis nous restent fidèles,
Jean Marx et sa sœur Suzanne. Dans la Boutique de Péguy Jacques rencontre Roubanovitch,
un Russe social-démocrate, directeur d'un laboratoire au P.C.N. et d'un petit journal, *La
Tribune russe,* où Jacques a publié dans sa
prime jeunesse un ou deux articles. J'avais
aussi travaillé pour lui en traduisant du russe
un livre fastidieux de Pierre Lavroff, disciple
à la fois de Hegel, de Marx et de Herbert
Spencer. Notre conversion, dont il a entendu
parler, scandalise le bon Roubanovitch comme

une trahison du « Progrès. » Il en parle longuement avec Jacques, essayant de la situer dans les catégories qui lui sont familières. A la suite de cette conversation il nous écrit une lettre éloquente, dont malheureusement je n'ai retenu que ces mots : « L'homme, la main sur le volant de l'automobile historique... » Depuis, l'automobile du progrès est devenue tank.

Le 24 août 1907, Jacques, cédant enfin aux instances de Péguy, s'en va en Angleterre, à Quarr Abbey, gardant secret le but de son voyage, même à l'égard de sa mère, comme Péguy le lui a demandé.

C'est de ce moment que nos relations avec Péguy ont commencé de s'embrumer. D'abord le secret qu'il demandait à Jacques de garder, il le divulgua lui-même, et seulement en partie. Il dit à la mère de Jacques que son fils était allé chez les moines de Solesmes, mais il ne lui dit pas que c'était parce qu'il avait demandé à Jacques de porter à Dom Baillet la nouvelle que lui-même, Péguy, était revenu à la foi. (Là-dessus il tenait au secret. De plus, dans l'office de pacificateur qu'il avait affectueusement assumé, il ne laissait voir à sa vieille amie que les côtés par où il se trouvait toujours en communion avec elle, grâce à la complexité de sa propre situation spirituelle.) Non, il avait envoyé

Jacques à Quarr Abbey pour qu'une influence catholique raisonnable et pondérée le soustraie au « fanatisme » de Léon Bloy... Le résultat fut d'accroître les complications douloureuses où se trouvait Jacques, sa mère ne comprenant pas sa réserve qu'elle prenait pour un manque de confiance. De plus Péguy ne fut pas du tout satisfait du message que Jacques lui apportait de la part de Dom Baillet et du Père Abbé Dom Delatte. Ces moines qui avaient donné à Dieu toute leur vie, et qui n'attachaient pas grande importance aux difficultés trop réelles où Péguy était engagé, pensaient avec simplicité que celui-ci n'aurait rien plus à cœur que de se disposer à recevoir les Sacrements. Pour cela Péguy devait faire bénir son mariage, jusque-là purement civil, et faire baptiser ses enfants. Mais Madame Péguy élevée par une mère tout à fait incroyante, n'était elle-même pas baptisée et, à cette époque, elle avait le catholicisme en horreur. Péguy aurait donc eu de profondes répugnances à vaincre chez elle, et c'est une lutte qu'il ne voulait pas entreprendre.

Ce n'est pas tout de suite que cette détermination de Péguy nous apparut. Il reçut Jacques avec tendresse, à son retour d'Angleterre. S'il ne suivait pas immédiatement le conseil de Dom Baillet, c'était, pensions-nous, dans le désir de ne

rien brusquer, et de laisser à sa femme le temps
de comprendre que sa conversion à lui était
profonde et irrévocable. En octobre nous re-
partîmes pour l'Allemagne. Mais à notre retour,
en mai ou juin 1908, nous trouvâmes Péguy
dans la même indécision. Cela commençait à
nous paraître un manque de courage incompré-
hensible chez un homme de ce caractère. Péguy
sentit que nous le blâmions, se rappela tout à
coup qu'il était notre « aîné », et se fâcha. Il
voyait une marque d'obstination, un manque-
ment à l'amitié (qu'il a toujours eue exigeante
et inquiète), dans notre indocilité à ses vues.
Jacques et lui avaient de longues discussions,
qui n'aboutissaient jamais. Péguy cherchait des
raisons pour justifier ce qui en droit n'était pas
justifiable. Jacques revenait toujours à ce qu'il
regardait comme évident. Il s'est reproché depuis
lors d'avoir pris trop à la lettre le rôle d' « am-
bassadeur » que chacun de son côté Péguy et
Dom Baillet lui avaient conféré, et de n'avoir
pas eu assez confiance dans les ressources infinies
de la grâce.

Cependant le récit que les Tharaud ont fait
des événements de cette période lui attribue
une attitude, fabriquée d'après une conven-
tionnelle psychologie de converti, qui n'a pas
été la sienne. Quand Jacques à la demande de

Péguy se rendit à Gif, s'entretenir avec Madame
Baudouin et Madame Péguy de la question du
baptême des enfants, c'est la paix pour Péguy
et les siens qu'il espérait de cette démarche, et
c'est à une conversation tout amicale qu'il s'attendait ; — il fut stupéfait de l'opposition ardente qu'il rencontra, (et qui lui fit comprendre un peu mieux les difficultés de la situation
de Péguy dans sa famille). Finalement la confiance fraternelle qui existait depuis plusieurs
années entre Jacques et Péguy commença à recevoir de profondes blessures. Comme l'attitude
de Dom Baillet ne changeait pas non plus, Péguy lui écrivit en 1909 :

« On t'a dit que je traversais des épreuves
sans nombre. On a eu raison de te le dire. Mais
il faut bien que tu saches que ces épreuves sont
purement extérieures et purement temporelles.
Il est difficile de vivre en chrétien dans les frontières où j'ai été placé. »

Ces frontières étaient à vrai dire très étroites.
En profond désaccord avec les siens, qui ne
pouvaient concevoir alors les dispositions nouvelles où la grâce de Dieu l'avait placé, il ne
voulait ni briser les liens de son mariage, ni
recourir à une régularisation religieuse de son

mariage à l'insu de sa femme. Cette régularisation — qu'il refusait — et le baptême des enfants malgré l'opposition de leur mère — perspective de déchirements sans fin — étaient cependant
les conditions indispensables pour lui de l'ac-
cession aux Sacrements. C'était une tragédie que
seul un miracle pouvait dénouer.

A cela s'ajoutaient de l'extérieur des difficultés et des malentendus nombreux — dont son
dissentiment avec Solesmes, qui l'avait profondément blessé, n'était qu'un cas particulier
— qui le disposaient de plus en plus mal à
l'égard des règles communes de l'Eglise.

C'est ainsi qu'on peut s'expliquer ses longs
atermoiements. Et puis la guerre est venue
où il devait mourir, et qu'il avait souhaitée
de toute son âme, pour le salut de la France
et pour sa propre libération.

Ces hésitations de Péguy nous semblaient
un manque de confiance en la grâce de Dieu.
Nous pensions qu'un miracle de confiance —
si Péguy avait fait tout ce qui dépendait de lui
— aurait changé la disposition des siens et dis-
sipé la tragédie.

Bien des choses nous agaçaient dans la conduite de Péguy, surtout sa politique à l'égard
des collaborateurs et des abonnés des « Ca-

hiers ». L'une de ces choses devait même pro-
voquer une espèce de rupture, (avant la défi-
nitive réconciliation). Péguy publia, en 1911,
si je ne me trompe, un roman de Julien Benda
— *l'Ordination* — qui nous parut une œuvre
aussi mauvaise qu'impertinente, et nous ne
pouvions pardonner à Péguy — se disant catholique — de l'avoir éditée. Jacques écrivit donc
à Bourgeois, en lui disant que si à l'avenir un
cahier de cette sorte devait encore être publié,
il le priait de ne pas le lui envoyer. Péguy
riposta en rayant Jacques du nombre des
abonnés des « Cahiers de la Quinzaine », ce
qui était une sorte d'excommunication majeure.
Cependant notre jugement sévère sur *l'Ordination* ne procédait pas d'un excès d'orthodoxie.
Henri Massis, qui raconte cet incident dans
Notre ami Psichari, ajoute que Georges Sorel
jugeait comme nous et ce roman de Benda et
Péguy qui l'avait publié ; « Si Péguy était un
converti, disait Sorel, il ne publierait pas dans
ses *Cahiers* un livre dont le principal mérite
est de renfermer des injures adressées au catholicisme. »[1]

Malgré ces douloureux incidents nous ne
doutions pas de la foi de Péguy. Pauvre grand

---

1. Henri Massis. *Notre ami Psichari.*

Péguy ! il avait le cœur plein de foi et il a
pratiqué la foi à sa manière, qui était par exemple de faire à pied le pèlerinage de Notre-Dame
de Chartres — 160 kilomètres, aller et retour —
pour demander la guérison d'un de ses enfants ;
de prier avec larmes — pour Paris — dans les
rues de Paris, et sur les impériales des omnibus
qui l'emmenaient à travers la ville ; de prier
surtout sur les routes de Seine-et-Oise, où il
aimait aussi ruminer ses poèmes et ses proses,
et les amener dans sa mémoire à un point si
définitif qu'il n'avait plus qu'à les « mettre sur
le papier » sans avoir jamais à y changer ni un
point, ni une virgule ; de confier et d'abandonner les siens à la Sainte-Vierge, de mourir
pour la France à la bataille de la Marne ; et
d'être finalement exaucé et justifié dans son
espérance, quelques années seulement après sa
mort glorieuse, par la conversion de sa femme
et de ses enfants.

Méditations

En octobre 1907 nous étions repartis pour
Heidelberg. La bourse attribuée à Jacques
comportait en effet deux années de séjour en
Allemagne, et nous tenions aussi à la solitude

où nous pouvions vivre là-bas, propice aux lentes réflexions, aux longues lectures. Nous revînmes définitivement en France en Mai 1908. Ces huit mois de méditations ont été extrêmement importants pour la pensée de Jacques.

« C'est en 1908, a-t-il écrit dans la Préface à la seconde édition de *la Philosophie bergso-nienne,* tandis que nous délibérions, dans la campagne avoisinant Heidelberg, si nous pouvions accorder la critique bergsonienne du concept et les formules du dogme révélé, que l'irréductible conflit entre les énoncés « conceptuels » de la foi théologale qui avait récemment dessillé nos yeux, et la doctrine philosophique pour laquelle nous nous étions passionné pendant nos années d'études, et à laquelle nous devions d'avoir été délivré des idoles matérialistes, nous apparut comme un des faits trop certains, dont l'âme, à peine a-t-elle commencé de se les avouer, sait aussitôt qu'elle ne leur échappera pas. L'effort obscurément poursuivi pendant des mois pour réaliser une conciliation à laquelle tendaient tous nos désirs aboutissait soudain à cette constatation irrécusable. Il fallait choisir ; et donc avouer que tout le travail philosophique auquel on s'était complu était à recommencer. Puisque Dieu nous propose dans des concepts et des propositions conceptuelles (qui nous arrivent toutes ruisselantes du sang des martyrs, au temps de l'arianisme on savait mourir à cause d'un iota) les vérités les plus transcendantes et les plus inaccessibles à notre raison, la vérité même de sa vie divine, son abîme à lui, c'est donc que le concept n'est pas un simple instrument pratique incapable à lui seul de transmettre le réel à notre esprit, bon à morceler artificiellement des continuités ineffables, et qui laisse fuir l'absolu comme l'eau à travers un filet ; grâce à cette merveille naturelle de force et de légèreté qu'est l'intellection analogique, jetée d'un bord à l'autre, et qui rend notre connaissance capable de l'infini, le concept, divinement élaboré dans la formule dogmatique, tient sans le limiter et fait descendre en nous, en miroir et en énigme, mais aussi en toute vérité, le mystère même de la Déité, qui se prononce elle-même éternellement dans le Verbe incréé, et s'est racontée dans le temps et en langage humain par le Verbe incarné. Alors il faut bien penser qu'il y a eu, au principe du combat bergsonien contre la raison charnelle, quelque méprise fondamentale ; on a fait du concept le véhicule normal du rationalisme, voilà l'erreur mortelle ; on a confondu l'affirmation de la valeur ontologique de l'intelligence et de ses énoncés, avec l'impuissance d'un intellect stérile ambitieux de soumettre toutes choses à son niveau. Cela nous l'avons appris d'une façon trop certaine pour l'oublier jamais. Qu'on essaye tous les accommodements que l'on voudra, on peut toujours obtenir des conciliations dans les mots, des apaisements diplomatiques : ceux qui ont connu l'antinomie réelle ne s'en contenteront pas. A ce moment nous n'avions pas encore fréquenté saint Thomas. C'est sur l'indestructible vérité des objets présentés par la foi que la réflexion philosophique s'appuyait en nous pour restaurer l'ordre naturel lui-même de l'intelligence à l'être, et pour reconnaître la portée ontologique du travail de la raison. En nous affirmant dès lors à nous-même, sans chicane ni diminution, l'authentique valeur de réalité de nos instruments humains de connaissance, nous étions déjà thomiste sans le savoir. Lorsque, quelques mois plus tard, nous allions rencontrer la *Somme théologique,* nous n'opposerions pas d'obstacle à son flot lumineux ».

En octobre 1908 nous prîmes un appartement rue des Feuillantines. Véra vint habiter avec nous, et jamais, depuis, nous n'avons été longtemps séparés d'elle. Parmi toutes les dispositions bienveillantes de la Providence à notre égard il n'en est pas de plus douce que la présence continuelle de notre sœur auprès de nous. Ce qu'elle a été, ce qu'elle est toujours pour sa petite sœur aînée, il ne m'est pas permis de le dire. Mais il est bien certain que sans elle je n'aurais pas pu faire face longtemps à des difficultés de toute sorte qui étaient de soi bien au-dessus de mes forces. Qu'elle est légère et bienfaisante aux siens une âme qui ne vit que de la grâce de Dieu.

C'est alors que se posa pour nous la première question grave dans l'ordre pratique. Le temps était venu pour Jacques d'occuper une chaire de philosophie dans un des lycées de l'Etat, droit que lui donnait son titre d'agrégé. Mais nous étions à une époque d'anticléricalisme assez violent, et, à tort ou à raison, craignant de ne pas être absolument libre d'enseigner selon ses convictions de chrétien et de philosophe, — de philosophe chrétien si l'on veut, — Jacques renonça à l'Université. Cependant nous n'avions plus d'argent du tout. Nous étions heureux de vivre sans aucun revenu assuré, encore fallait-il gagner notre vie. Péguy nous aida en recommandant Jacques à l'un des directeurs de la maison Hachette. On y fut très heureux de la collaboration d'un agrégé, et Jacques reçut d'abord la commande d'un *lexique orthographique* qui l'occupa, lui et ma sœur, pendant toute une année ; ce fut pour ma sœur l'apprentissage d'un secrétariat qui devait lui donner dans les années à venir tant de besogne ! Vint ensuite la commande, effarante tout de même, d'un *Dictionnaire de la Vie Pratique,* que Jacques accepta intrépidement, et auquel il travailla trois années durant, aidé il est vrai d'une nombreuse équipe de collaborateurs. Je dois dire qu'il n'a gardé le souvenir d'aucune des connaissances pratiques qu'il a dû posséder pendant ce temps, où ni le macramé, ni les recettes de cuisine, ni la chasse, ni la pêche, ni le jiu-jitsu, n'ont eu de secrets pour lui. C'est ainsi qu'il a débuté dans sa carrière de philosophe indépendant.

Ce travail a eu cependant l'avantage de le laisser dans une entière liberté d'esprit à l'égard des problèmes philosophiques qui se posaient pour lui, et de la solution desquels dépendait tout l'avenir de sa pensée. Une lente maturation a été ainsi rendue possible, pendant laquelle se sont précisées à ses yeux les lignes principales d'une philosophie de l'être et de l'esprit, et aussi la conviction que la vérité atteinte à un degré quelconque de la réalité, devait être amie et solidaire de la vérité de n'importe quel autre degré d'être. L'Ange de l'Ecole allait pouvoir maintenant dévoiler sa présence à cet esprit silencieusement préparé à accueillir l'éternel message de l'intelligence et de la foi.

Le Soldat Psichari

Cependant Ernest Psichari, notre « vieux frère », après une immense équipée dans le bassin de la Sangha et la plaine du Tchad, était revenu du Congo le 17 janvier 1908, couvert de gloire et proposé pour la Médaille Militaire par le chef de l'expédition, le commandant Lenfant.

Il reçut la médaille militaire au mois de mars, et d'Heidelberg où nous étions alors Jacques lui écrivit pour le féliciter.

Dès notre retour, au début de juin, nous le retrouvons avec une grande joie. Il est magnifique. « Son âme charmante et bonne, note Jacques dans son journal, a été délivrée par la vie militaire de toutes les scories intellectuelles de son monde. » Avec Jacques il aime parler de la foi et de la grâce « comme un ignorant amoureux. » Plus ignorant qu'amoureux toutefois, en ce temps-là.

Dans les confidences que Psichari fait à Massis, au début de l'année 1909, il lui parle de Jacques, « et, dit Massis, quelque admiration qu'il éprouvât pour la « grande idée » qui emplissait le cœur de Maritain, quelque trouble que lui causât la conversion de cette âme si riche et si rare, il résistait pourtant. Il ne pouvait qu'en faire l'aveu à l'ami fraternel qui le pressait de « recevoir ce qu'il y a de meilleur dans le temps et dans l'éternité : la paix de Dieu, celle-là que le monde ne peut pas donner ». Mais, en ces débuts de 1909, Psichari n'était pas encore prêt à l'entendre : « Tout ce que je puis te dire, pour l'instant, c'est mon attirance pour cette belle maison spirituelle où tu veux me faire entrer. Ta pensée, mon cher Jacques, est d'une essence si précieuse qu'elle exerce sur moi une véritable fascination. Je ne saurais te dire l'impression de ravissement et de joie rafraîchissante que j'éprouve en te lisant ou en t'écoutant. Mais c'est là surtout, je dois te l'avouer, une impression physique. Je suis attiré vers ta maison, mais je n'y entre pas. »

Néanmoins ce que Jacques lui disait de la sainteté avait touché cet être altéré de grandeur : « Est-il possible, ajoutait-il, d'assigner une mesure humaine à la sainteté ? Si tout de même je devais faire un choix d'une mesure humaine de la sainteté, je prendrais — en première ligne — l'élévation du cœur et la noblesse morale. Si réellement Dieu existe, je pense que ceux qui en approchent le plus, ce sont les hommes — saints de l'Eglise, soldats, penseurs — qui participent de cette vertu morale, essentiellement divine, me semble-t-il... »

Psichari entre bientôt à l'Ecole militaire de Versailles, d'où il sort sous-lieutenant en septembre 1909. Aussitôt il part pour la Mauritanie, d'où il reviendra seulement en décembre 1912, après avoir dans une solitude de trois années parcouru le plus beau des itinéraires spirituels.

Au moment de son départ pour la Mauritanie il ne connaît encore aucune inquiétude religieuse. Ce dont il a pris conscience tout d'abord, c'est de sa vocation militaire.

« Lorsque l'auteur de ce récit, écrira-t-il dans l'avant-propos de *l'Appel des armes*, fit ses premières armes au service de la France, il lui sembla qu'il commençait une vie nouvelle. Il eut vraiment le sentiment de quitter la laideur du monde et d'accomplir la première étape d'une route qui devait le conduire vers de plus pures grandeurs ».

« Comprenons bien — car il s'agit ici d'admirer les voies de Dieu et les merveilles de la prédestination — comprenons bien, ajoute Jacques, que cette résolution d'être soldat a eu, chez Psichari, dans son cas individuel, la valeur d'un fait quasi-religieux dans une âme d'incroyant... Sans connaître Dieu, sans savoir qu'il existe, c'est à lui pourtant, dès l'instant qu'il veut l'ordre de son âme, c'est à Dieu auteur de l'ordre naturel qu'il rend obscurément hommage, et c'est vers lui qu'il fait effort. Cet acte une fois posé, quelles que soient les défaillances qui pourront suivre, portera ses fruits...

« Nous avons là le secret de l'action puissante exercée par Psichari sur sa génération. Victime et héros à la fois, l'homme doué d'une sensibilité exceptionnelle, qui concentre et réalise dans son expérience personnelle, et à un degré souverain, les maux dont souffre le monde depuis une ou deux générations, et qui trouve le moyen d'en triompher en lui-même, cet homme agira toujours sur son temps d'une manière extraordinaire. Tandis que les mauvais maîtres s'imaginent n'avoir qu'à continuer en paix leur besogne, et ne voient même pas le sang qui

leur couvre les mains, lui sent le vent de l'abîme,
son cri est entendu. Psichari était descendu
assez loin dans le désordre moderne pour retrouver en remontant toutes les vérités premières méconnues. Mais pour voir s'épanouir
les conséquences de sa détermination originelle,
pour procéder à la revision générale des valeurs
qu'impliquait une telle détermination, il lui
faudra beaucoup de temps, une lente élabora-
tion... »[1]

En 1913 il est en France, où l'attend cette
fois le don définitif de la foi vive, dont il avait
reçu dans les solitudes de Mauritanie les magnifiques prémices. Et en 1914, le 22 août, à Rossignol en Belgique, c'est lui qui donne à Dieu et
à la France sa jeune vie, — il avait trente ans.

De ce dénouement de grâce et de sacrifice
j'espère pouvoir parler plus longuement un
jour.

J'ai voulu donner quelque idée de la posi-
tion spirituelle — telle qu'elle apparaissait en
l'année 1909, où j'arrête cette partie de mes sou-

---

1. Jacques Maritain. *Antimoderne.*

venirs, — de quelques hommes dont l'influence devait être si grande en France et dans le monde : Bergson. Léon Bloy. Péguy. Psichari...

Et Claudel? Depuis 1886, depuis plus de vingt ans déjà, Claudel était catholique. Son œuvre poétique était déjà considérable ; mais nous ignorions tout de lui en 1909, et de sa foi et de son œuvre. On peut remarquer que les grands mouvements de conversion en France, au XIXe et au XXe siècles, ont eu plusieurs sources apparemment indépendantes les unes des autres. Bloy doit beaucoup à Barbey d'Aurevilly, à Hello surtout ; à l'abbé Tardif de Moidrey. Péguy doit tout, après Dieu, aux saints de France : à sainte Geneviève, à Jeanne d'Arc. Claudel, lui, se recommande du plus inattendu des convertisseurs : Arthur Rimbaud. « Il a été pour moi la révélation en un moment de profondes ténèbres, l'illumination de tous les chemins de l'art, de la religion, de la vie. » Claudel avait lu les *Illuminations* et *une Saison en Enfer*, en 1886. Mais c'est à Notre-Dame de Paris, le jour de Noël, qu'il a reçu la foi : « En un instant mon cœur fut touché et je crus. » Par Claudel, par son œuvre, plusieurs, à leur tour, furent conduits sur le chemin de la vie — Jacques Rivière, Francis Jammes, bien d'autres sans doute. Nous connaissons l'un de ceux-là, un très grand ami de Dieu et de nos âmes, dont la vie se consume en Afrique, dans la solitude brûlante du désert.

Si je puis réaliser le dessein de donner une suite à ces mémoires, les noms de nos premiers amis reviendront bien souvent encore sous ma plume, mêlés aux noms de nos amis nouveaux. L'ordre chronologique que j'ai suivi jusqu'à présent m'a obligée à interrompre et morceler l' « histoire » de chacun de ceux dont j'ai parlé. Je devrai revenir à cette histoire. Alors l'influence exercée sur leur temps par ces hommes que nous remercions Dieu d'avoir mis sur notre chemin, et la leçon de leur vie apparaîtront peut-être d'une façon plus claire.

L'époque sur laquelle porte ce récit a été surtout, me semble-t-il, une époque de grande renaissance spirituelle au bord du déclin d'un monde. C'est pourquoi d'y penser seulement met au cœur tant d'indicible douceur et de mélancolie, et malgré tout tant d'espérance. Ceux qui n'ont pas connu ce temps ne pourront pas l'imaginer. Mais les semences dont il était plein porteront fruit plus tard, sous une forme que nous ne pouvons pas non plus imaginer.

C'est au moment où les tendances justes et droites commencent à prendre les dessus que le poids des vieilles erreurs finit par faire céder l'étoffe qu'elles avaient usée peu à peu. Il n'y a pas eu dans un peuple de plus beau renouveau de spiritualité qu'en cette France qui s'accuse maintenant de ce qu'elle avait de meilleur comme de ce qu'elle avait de pire ; pas de plus profond effort de chrétienté qu'en cette France « anticléricale » et déchirée. Le message prophétique de Léon Bloy n'a pas fini de se faire entendre, ni l'exemple de l'itinéraire spirituel de Bergson d'éclairer les esprits. L'histoire du petit-fils de Renan atteste d'une manière éclatante que ce n'est jamais pour longtemps qu'une famille française s'écarte de la foi. « Nous n'avons jamais perdu notre banc à l'église paroissiale », disait un jour la mère d'Ernest Psichari, qui ne l'a pourtant pas suivi dans sa conversion. Péguy est plus cher que jamais au cœur des Français. Son œuvre, sa vie, sa mort, leur crient de ne pas céder ; nous apprennent que ce que l'on aime il faut aussi être prêt à le défendre, à le sauvegarder par la force charnelle et par les armes temporelles, si désintéressé et spirituel que soit notre amour.

Tous ces hommes auront été en France les premiers ouvriers de la reconstruction qu'un monde futur connaîtra peut-être, les annonciateurs de cet « humanisme intégral » — humain et divin tout ensemble — en qui seul se trouvent les possibilités d'une vie libre et digne. Mais à l'heure où leur action commençait d'animer une jeunesse magnifique, l'ouragan déchaîné des forces brutales est venu jeter à terre l'antique maison depuis longtemps vermoulue, où nous avions tous notre demeure, et révéler dans une terrible lumière tout ce que les puissances de dissolution avaient préparé de ruine pour le monde. Quand des souffrances sans nom auront achevé notre purification, alors seulement pourra passer à nouveau, sur notre infortune et notre patience, le souffle de vie capable de renouveler la face de la terre.

New York, 11 Juillet 1941.

TABLE DES MATIÈRES